La memoria

810

Andrea Camilleri

Il nipote del Negus

Sellerio editore
Palermo

2010 © *Sellerio editore via Siracusa 50 Palermo*
e-mail: info@sellerio.it
www.sellerio.it

Camilleri, Andrea <1925>

Il nipote del Negus / Andrea Camilleri. - Palermo : Sellerio, 2010.
(La memoria ; 810)
EAN 978-88-389-2453-8
853.914 CDD-21   SBN Pal0223496

CIP - *Biblioteca centrale della Regione siciliana «Alberto Bombace»*

Il nipote del Negus

Carpetta n. 1

Capitolo 1

REGIO MINISTERO DEGLI ESTERI
IL MINISTRO

Al Cavalier Carmelo Porrino
Direttore Regia Scuola Mineraria
Vigàta

Prot. n. 234/675/B
Oggetto: *Principe Grhane Sollassié*

Roma, 20 agosto 1929

Camerata!

Ci è giunta richiesta urgentissima da parte di S. E. il Ministro Plenipotenziario dell'Etiopia in Italia affinché il nipote del Negus Neghesti Ailé Sellassié, Re dei Re e Imperatore, possa iscriversi a cotesta Regia Scuola Mineraria per frequentarne il corso triennale e ottenerne il diploma.

Il giovane, che chiamasi Grhane Sollassié Mbssa e ha il titolo di Principe, è nato ad Addis Abeba il 5 marzo 1910, e disporrebbe quindi dell'età giusta e dei requisiti necessarii, essendosi diplomato presso il Regio

Convitto Nazionale «Vittorio Emanuele» di Palermo che ha frequentato dal 1927. Parla l'italiano perfettamente. Questo Ministero sarebbe in linea di massima favorevole alla accoglienza della domanda, rilasciando la concessione dei nullaosta per l'iscrizione, ma ritiene dirimente che voi, in qualità di Direttore della Regia Scuola, svolgiate una previa e discreta indagine presso gli allievi, ed eventualmente anche presso i loro genitori, circa l'accoglienza che il giovane potrebbe ricevere dai suoi compagni di studio.

Trattasi, come può bene apparire alla sensibilità vostra, di situazione da maneggiare con abilità somma, inquantoché il giovane, malgrado sia un negro, è comunque un Principe etiopico e per di più nipote diretto del Negus, il quale pare che lo tenga in grande considerazione.

Capirete quindi come un qualsiasi sgarbo, un malaugurato equivoco, una involontaria mancanza, un infelice giovanile dileggio, possano far nascere con estrema facilità un incidente diplomatico che, al momento attuale, assai nuocerebbe all'illuminata politica estera che il nostro Duce guida con romana e preveggente determinazione.

Naturalmente, nello sciagurato caso dovesse capitare all'interno della Scuola uno qualsiasi dei suddetti malaugurati eventi, questo Ministero non potrebbe che darne segnalazione al Ministero dell'Educazione Nazionale affinché valuti la responsabilità della Direzione della Regia Scuola Mineraria di Vigàta e prenda gli opportuni provvedimenti disciplinari.

Data l'imminenza dell'apertura dell'anno scolastico, attendiamo una vostra sollecita risposta.
Saluti fascisti

per il MINISTRO
il Capo di Gabinetto
Corrado Perciavalle

P. S.
La retta prevista per la frequenza della Regia Scuola, consistente in lire 350 mensili, sarà a carico di questo Ministero degli Esteri.

REGIO MINISTERO DELL'INTERNO
IL MINISTRO

Numero protocollo 21340098/B/112
Oggetto: *Principe Etiopico*

Al Commendatore Felice Matarazzo
Prefetto di Montelusa

Roma, 21 agosto 1929

Camerata!
Una comunicazione testé giuntami dal nostro Ministero degli Esteri mi informa che, all'apertura del prossimo anno scolastico, è assai probabile che presso la Regia Scuola Mineraria di Vigàta si iscriva, come allievo, un giovane etiopico (quindi negro) di nome Grhane Sollassié Mbssa, di anni 19.

Il suddetto è un Principe, nipote del Negus Neghesti Ailé Sellassié, Re dei Re e Imperatore d'Etiopia.

Il caso in oggetto presenta alcuni problemi che desidero sottoporvi e che vanno tutti risolti con oculata e fascistica fermezza.

Ove il Ministero degli Esteri concedesse il placet all'iscrizione, mi corre obbligo di richiamare nuovamente alla vostra attenzione che il giovane etiope, benché Principe, è pur sempre un negro.

Un negro in mezzo a una scolaresca di ragazzi bianchi animati da splendido ed indefesso fervore fascista.

Considerate bene la situazione.

Non siamo a conoscenza delle idee politiche del giovane, ma sappiamo che nei due anni di permanenza già trascorsi presso il Regio Convitto Nazionale «Vittorio Emanuele» di Palermo egli non ha dato adito a lagnanza alcuna, stante le dichiarazioni del Cav. Mattia Siniscalco, attuale Direttore del predetto Convitto.

Per ogni evenienza sarebbe a parer nostro sommamente opportuno che l'Eccellenza Vostra facesse ricorso a misure adeguate atte ad eliminare ogni possibile rischio.

Pertanto, senza minimamente volermi ingerire nei compiti che l'Eccellenza Vostra, Squadrista della prima ora e Marcia su Roma, sa così magnificamente assolvere, mi permetto di darvi qualche sommesso suggerimento.

Sarebbe assai opportuna una serie di colloqui preventivi con i genitori degli allievi che attualmente frequentano la Regia Scuola Mineraria facendo loro presente che di qualsiasi incidente possa capitare tra un allievo e l'etiope saranno ritenuti comunque responsabili i famigliari dell'allievo italiano.

Tale responsabilità potrà significare, per il genitore, il ritiro a tempo indeterminato della Tessera del

Partito Nazionale Fascista (provvedimento che comporta la sospensione da qualsiasi attività lavorativa, anche autonoma) e, per la genitrice, la cancellazione, sempre a tempo indeterminato, dell'iscrizione nelle liste delle Donne Fasciste (che comporta la perdita di tutti quei larghi benefici che il Regime concede alle Famiglie e alle Madri).

Ma la presenza del giovane negro a Vigàta può rappresentare un pericolo ancora più sottile e malvagio che bisogna a tutti i costi prevenire.

Vostra Eccellenza sa come il travolgente e inarrestabile Trionfo del Fascismo abbia vieppiù attizzato l'odio dei miserevoli e miserandi sovversivi superstiti che sempre stanno a tramare nell'ombra contro la grandiosa Rivoluzione fascista e son pronti da maramaldi qual sono a pugnalarla vigliaccamente alle spalle.

Ebbene, non è possibile ipotizzare che qualche losco sovversivo comunista, purtroppo ancora in libertà grazie alla generosità del Duce, approfitti della presenza del giovane negro in paese per insultarlo e aggredirlo a bella posta, sì da far nascere uno scandalo internazionale che la stampa estera, al Fascismo ostile, sarebbe ben lieta di ingigantire a dismisura?

In tale deprecabile caso l'incidente internazionale sarebbe purtroppo inevitabile.

E avrebbe di conseguenza delle sgradevoli ripercussioni sulla geniale politica estera del Duce.

Buon senso vuole allora che tutti i comunisti, i socialisti, gli anarchici, i sovversivi, ancora presenti in Vigàta, ancorché già schedati, siano sottoposti a più oculata sorveglianza da parte delle Forze dell'ordine e anche, ove lo si ritenga opportuno nei casi di eccessiva e ingovernabile faziosità, che siano adottate misure restrittive e detentive.

Attendo vostro celere riscontro.

Saluti fascisti

per il MINISTRO
il Capo di Gabinetto
Antonio Fortuna

REGIA PREFETTURA DI MONTELUSA
IL PREFETTO

Protocollo n. 98799/BV/b/b/421

Al Commendator Filiberto Mannarino
Questore di
Montelusa

Montelusa, 25 agosto 1929

Mi pregio compiegare copia della lettera a me perve-
nuta dal Ministero dell'Interno onde possiate prendere
con urgenza i provvedimenti di vostra competenza.
Saluti fascisti

IL PREFETTO
(Felice Matarazzo)

REGIO COMMISSARIATO DI P. S. DI VIGÀTA

Numero protocollo:
Oggetto:

Al Commendatore Filiberto Mannarino
Questore di
Montelusa

Vigàta, 30 agosto 1929

Signor Questore,
secondo gli ordini da voi impartitimi, ho sollecitamente parlato con i genitori dei cinque allievi vigatesi attualmente frequentanti la Regia Scuola Mineraria. Altri allievi risultano, secondo l'elenco fornito dal Direttore Porrino, residenti in altri paesi e non sono perciò di mia competenza.

Del risultato di tali colloqui fornisco rapporto ufficiale a parte. In via del tutto riservata, mi preme però farvi presente che uno dei genitori, l'ingegnere minerario Heinrich Müller, padre dell'allievo Rainer, è di nazionalità tedesca ed è a capo della massoneria locale. Egli ha tenuto a rendermi noto che fin dalla fondazione ha fatto parte del Partito Nazionalsocialista di Adolf Hitler ed ha aggiunto che tale Partito, pur ispirandosi al nostro Regime Fascista, manifesta assoluti convincimenti di purezza razziale e di conseguenza non può tollerare che suo figlio sieda fianco a fianco con un negro ancorché Principe. Abbiamo convenuto che egli, adducendo motivi strettamente logistici, trasferisca il figlio in altra scuola.

Invece Pignataro Gerlando, di mestiere minatore, di anni 43, analfabeta, padre dell'allievo Gesualdo, ha dichiarato di non avere rapporti con il figlio, che addirittura non saprebbe riconoscere per strada, in quanto sarebbe padre solo sui documenti anagrafici, dato che non ha mai conosciuto carnalmente la di lui moglie, Ferraù Agata. A suo dire, e non c'è motivo di non crederci, egli l'avrebbe sposata solo in seguito alla promessa di una sostanziosa somma di denaro, regolarmente versatagli dopo il matrimonio, dal vero padre, Marchica Calcedonio inteso 'u zù Cecè, noto mafioso attualmente ristretto nel carcere di Montelusa.

Ho convocato allora la Ferraù Agata e le ho parlato, facendole notare che, in caso di incidente provocato dal figlio Gesualdo, a subirne conseguenze non sarebbe stata solo lei, ma anche il detenuto Marchica Calcedonio che sarebbe stato sottoposto a un inasprimento del regime carcerario.

Ora vengo alla questione più delicata.

Prima di essere promosso commissario ed essere trasferito a Vigàta, sono stato vicecommissario al Commissariato di P. S. di Riesi.

Quindi mi sono trovato a svolgere le mie funzioni il giorno 11 maggio 1924 allorché S. E. Benito Mussolini si degnò di visitare la miniera Trabia sita in territorio di Riesi.

Gran folla entusiasta convenne da Riesi, Sommatino, Ravanusa e altri paesi limitrofi. Il Duce, che indossava la divisa fascista ma teneva sul capo il cappello goliardico offertogli dagli universitari palermitani, nell'entrare nel grande cortile della miniera dove si assiepavano centinaia di uomini e donne plaudenti e inneggianti, venne colpito all'occhio sinistro da un mazzo di fiori lanciatogli con molta forza dalla signora Mafalda Giovenco e il Duce, per tutta la durata della manifestazione, fu quindi costretto ad ammiccare e a portare frequentemente il fazzoletto all'occhio colpito.

Sul momento, dato che tutti lanciavano fiori, ritenni la cosa assolutamente involontaria.

Risalito dalla miniera, Egli tenne un infiammato discorso alla folla, ormai straripante, da un balcone sotto il quale era stata eretta una colonna che recava alla sommità un artistico mezzobusto di S. E. Mussolini eseguito con zolfo fuso.

Orbene, poco prima dello scoccare della mezzanotte di quello stesso giorno, secondo testimonianze oculari da me raccolte, tre loschi individui, due adulti e un adolescente, si recavano presso la suddetta colonna e quindi, acrobaticamente saliti l'uno sopra le spalle dell'altro, porgevano al più piccolo di loro che era in cima, un batuffolo impregnato di olio minerale che veniva dal ragazzo dato alle fiamme con uno zolfanello. Mentre i tre dileguavansi senza lasciar traccia, il fuoco dissolveva in fumo l'artistico mezzobusto.

Incaricato delle indagini, vincendo la renitenza dei testimoni che solo dopo forti pressioni ed estenuanti interrogatori si decisero a fornire vaghe informazioni, trassi in arresto tale Giosafatte Landolfo, conduttore meccanico della miniera stessa e che fino ad allora non aveva manifestato sentimenti antifascisti.

Grande fu la mia sorpresa nello scoprire che la di lui moglie era la Giovenco Mafalda che aveva colpito all'occhio il Duce.

E non solo: nella loro casa era ospite un negro quattordicenne, di nome Grhane Sollassié, il cui padre era diventato amico del Landolfo durante i tre anni che questi ebbe a lavorare come tecnico minerario in Etiopia.

Credevo di avere identificato due dei tre autori (uno dei due adulti e il più giovane) dello sconsiderato e temerario gesto, ma purtroppo la testimonianza del Direttore della miniera, ingegnere Enrico Giovagnoli, uomo di fervente Fede Fascista, scagionò completamente il Landolfo. L'ingegnere attestò che quella sera era stato invitato a cena in casa del Landolfo e si era ivi trattenuto fin a ben oltre la mezzanotte.

Per dovere di completezza aggiungo che in paese correvano voci mai provate di una tresca tra il Giovagnoli e la Giovenco, donna assai procace e, pare, di non cristallina virtù.

Può darsi quindi che la passione carnale del giovane ingegnere Giovagnoli l'abbia avuta vinta sulla sua passione fascista. Tanto mi premeva portare a riservata conoscenza della Signoria Vostra Illustrissima.

Saluti fascisti

IL COMMISSARIO DI P. S. DI VIGÀTA
(Giacomo Spera)

REGIA SCUOLA MINERARIA DI VIGÀTA
IL DIRETTORE

Numero protocollo 4563/A
Oggetto: *Allievo etiopico*

A S. E.
Il Ministro degli Esteri
Roma

                                        Vigàta, 2 settembre 1929
Eccellenza!
Mi pregio di rispondere alla Vostra del 20 agosto c.a., protocollo numero 234/675/B, inerente le possibili reazioni degli allievi che già frequentano questa Regia Scuola Mineraria all'eventuale iscrizione di un nuovo allievo di pelle nera.

Poiché la Regia Scuola trovasi ancora chiusa per le vacanze estive, mi è stato oltremodo difficile raggiungere la totalità degli allievi.

Sono riuscito a mettermi in contatto con tutti, fatta eccezione dell'allievo del secondo anno Cuticchio Giovanni che però appartiene a famiglia assai nota a Fela per la rigidezza dei costumi, i saldi principii religiosi e la profonda Fede Fascista.

Mi sento quindi di poter garantire personalmente per questo giovine. Da tutti gli altri, fatta eccezione di uno di cui dirò appresso, ho avuto espressioni che si limitavano a un blando interesse o a una pura e semplice curiosità. Mai un cenno o una parola di contrarietà. Poiché le iscrizioni presso questa Regia Scuola Mineraria hanno avuto termine il 10 agosto, mi è stato possibile anche raggiungere i futuri dieci allievi del prossimo primo anno.

Ebbene, anche da loro ho avuto risposte tutt'altro che ostili, anzi più di uno si è offerto come compagno di banco.

A questo proposito mi permetto di ricordare all'Eccellenza Vostra che l'allievo etiopico, in caso di accoglimento della sua domanda, dovrebbe presentare, assieme a tutti gli altri documenti, anche l'indispensabile deroga ai termini d'iscrizione rilasciata dal Ministero dell'Educazione Nazionale.

E ora vengo a esporre il caso dell'allievo Rainer Müller.

Il giovine, nato in Italia da genitori di nazionalità tedesca, alla mia domanda se avesse qualcosa in contrario alla frequentazione di un allievo etiopico, mostrava qualche esitazione e mi consigliava di parlarne con suo padre.

Il padre, da me ben conosciuto, è l'ingegnere minerario Heinrich Müller, da sempre iscritto al Partito Nazionalsocialista di Adolf Hitler e che in più occasioni ha avuto modo di esprimere pubblicamente e vibratamente la sua netta avversione per ebrei, negri, zingari ed effeminati.

Egli mi disse di avere già parlato della questione col Commissario di P. S. di Vigàta e di essere addivenuto alla conclusione di ritirare il figlio dalla nostra Scuola per iscriverlo a quella di Caltanissetta. Avendogli fatto io notare che, frequentando suo figlio il secondo anno mentre l'etiopico sarebbe stato eventualmente ammesso al primo, non ci sarebbe stata quindi nessuna vicinanza fisica tra i due, egli mi rispose che lui riteneva infetta tutta la Scuola per la presenza di un negro che avrebbe goduto di un trattamento pari a quello del figlio. Senonché l'altrieri mi giungeva la notizia che il giovine Rainer, appreso dal padre il suo prossimo trasferimento presso la Regia Scuola di Caltanissetta, tentava di porre fine ai suoi giorni impiccandosi. Soccorso appena in tempo, veniva ricoverato nel locale ospedale.

Ieri pomeriggio è venuto a trovarmi l'ingegner Müller per comunicarmi d'aver cambiato proposito e che perciò suo figlio rimarrà nella nostra Scuola.

Mi ha inoltre ampiamente assicurato che, malgrado la sua profonda convinzione circa l'inferiorità e la pericolosità delle razze ebrea e negra, egli non ci procurerà nessun fastidio.

Alla mia discreta domanda circa la ragione che sarebbe stata alla base dell'insano gesto del giovine, egli mi ha risposto che suo figlio, essendo di animo estremamente sensibile, si era assai turbato alla prospettiva di dover abbandonare la Scuola e i compagni che tanto lo amano.

Sono pertanto certo che l'eventuale presenza di un allievo etiopico non potrà esser foriera di sgradevoli eventi.

Resto comunque sempre a disposizione di Vostra Eccellenza.

Viva il Duce!

IL DIRETTORE DELLA R. SCUOLA MINERARIA
(Carmelo Porrino)

REGIA QUESTURA DI MONTELUSA
IL QUESTORE

Prot. n.
Oggetto:

Al Commissario di P. S.
Vigàta

Montelusa, 6 settembre 1929

Caro Spera,
da S. E. il Prefetto ho ricevuto copia di una lettera
inviata al Ministero degli Esteri dal Direttore della Scuola Mineraria di Vigàta (che mi pare un sommo cretino).

Ve la compiego affinché voi ne prendiate conoscenza.

A me questa faccenda dell'allievo Müller non persua-
de per niente.

Quando mai si è sentito di un ragazzo che tenta di
suicidarsi perché deve lasciare la scuola che frequenta?
Vogliamo scherzare?

Credo che ben altre ragioni abbiano spinto quel giovane al tentato suicidio.

E bisognerebbe scoprirle.

Perché, a mio parere, uno che a quell'età vuole ammazzarsi dimostra comunque un carattere instabile.

E se domani gli salta il ticchio paterno dell'odio verso i negri e un bel giorno mi sventra l'etiope?

Attendo pronta risposta riservata.

Cordiali saluti

IL QUESTORE
(Filiberto Mannarino)

✝

CURIA VESCOVILE DI MONTELUSA

A Don Stefano Ficarra
Via dei Crociferi 14
Vigàta

Montelusa, 7 settembre 1929

Carissimo Padre,
come lei ben saprà, in seguito ai Patti Lateranensi tra lo Stato Italiano e lo Stato della Città del Vaticano, sanciti in data 11 febbraio c.a., in ogni scuola di ordine e grado del Regno d'Italia dovrà d'ora in poi essere impartita settimanalmente un'ora di Religione.

Questa Curia ha designato lei quale insegnante di Religione presso la Regia Scuola Mineraria di Vigàta.

Abbiamo già fornito il suo nominativo al Direttore.

Prenderà servizio coll'apertura dell'anno scolastico.

Ella dovrà pertanto controllare che in ogni aula di detta scuola sia esposto il S.S. Crocefisso tra i ritratti di S. E. Benito Mussolini e di Sua Maestà Vittorio Emanuele III Re d'Italia.

Ci è giunta voce che assai probabilmente tra i suoi alunni di primo anno Ella troverà un giovane etiope, che ha dignità principesca essendo nipote del Negus, Imperatore d'Etiopia.

Ormai molti giovani, provenienti dalla Libia, dall'Eritrea e dalla Somalia, frequentano le nostre scuole.

Ma, a quanto ci è dato sapere, la loro presenza non ha destato finora nessuna difficoltà dato che tutti, ripeto tutti, codesti giovani hanno volontariamente abiurato le loro fedi per abbracciare la Religione Cattolica.

Da informazioni ricevute in via riservata dal Direttore del Convitto Nazionale «Vittorio Emanuele» di Palermo, dove il giovane etiope ha studiato, ci risulta che egli è di Religione copta. Le sarà certamente noto che la Religione copta nasce dalla condanna del monofisismo da parte del Concilio di Calcedonia del 451. Il monofisismo consiste sostanzialmente nell'affermazione che prima dell'Incarnazione esistevano in teoria in Cristo due nature, umana e divina, ma che dopo ne è esistita una sola.

Pur senza volere sminuire l'importanza della questione, essa ci pare del tutto ininfluente sul rapporto che Ella dovrà avere col giovane etiope, in quanto trattasi di un cristiano a tutti gli effetti.

Pertanto, date le parentele dell'etiope e il suo rango nobiliare, riteniamo inopportune eventuali iniziative che Ella potrebbe esser tentato di prendere per ricondurre il giovane entro il grande alveo di Nostra Madre Chiesa.

Alla stessa stregua pensiamo che una discussione fatta in classe tra Lei e il giovane etiope sulle differenze teologiche tra le due Religioni sarebbe, oltre che inutile, potenzialmente dannosa.

Confidiamo quindi nel suo alto senso di discrezione e la salutiamo benedicenti nostro fratello in Cristo.

per S. E. il Vescovo
il Segretario particolare
(Don Angelo Sorrentino)

REGIO COMMISSARIATO DI P. S. DI VIGÀTA

Numero protocollo:
Oggetto:

Al Commendator Filiberto Mannarino
Questore di
Montelusa

RISERVATA PERSONALE

Vigàta, 10 settembre 1929

Signor Questore,
se mi consente la libertà di potermi esprimere con assoluta franchezza, convengo con Lei che il Direttore della Regia Scuola Mineraria è un perfetto cretino.

Non appena ricevuta la sua riservata personale, ho pensato che mi sarebbe stato assai utile scambiare qualche parola con i compagni di classe di Rainer Müller onde cercare di saperne di più sulla personalità del giovane.

Ma subito appresso ho desistito, certo che le mie domande ai ragazzi avrebbero potuto suscitare in loro curiosità eccessive e anche cervellotiche illazioni.

La fortuna ha giocato a mio favore allorché ho casualmente incontrato un mio amico dei tempi di Riesi, per ragioni di lavoro trasferitosi a Montelusa, che non vedevo da almeno un quinquennio.

Egli ha voluto invitarmi a cena a casa sua. E qui ho avuto modo di rivedere, già molto cresciuto, il di lui figlio Carlo e di apprendere che non solo era allievo della Scuola Mineraria, ma del Müller era addirittura compagno di corso.

Naturalmente egli, come tutti del resto, era a conoscenza del tentato suicidio, ma avendogli io domandato se la vera causa fosse stato il dover lasciare la Scuola Mineraria per un'altra, egli faceasi rosso in viso e mostrava di non volerne parlare.

Il suo turbamento non sfuggiva però al mio amico, il quale, approfittando che la moglie si era allontanata per rigovernare, lo invitava ad aprirsi.

Il ragazzo, dopo qualche resistenza, ci confidava che il Müller Rainer, da tutti soprannominato «la signorina» per i suoi modi quasi femminei, si era follemente invaghito di un compagno di classe, tale Bartolomeo Arzigò, e che era stata l'idea di non poterlo più quotidianamente frequentare a spingerlo al finto suicidio.

Finto, perché già una volta per gioco il Müller aveva dimostrato a due suoi compagni, tra i quali il figlio del mio amico, come fosse facile per lui fingersi impiccato.

All'ignaro padre, il giovane Müller aveva raccontato la fandonia dell'attaccamento alla Scuola.

Il figlio del mio amico ci ha anche detto che un giorno il capoclasse, Natale Domenico, di esaltata fede fascista, avendo sorpreso i due in bagno, era andato a riferirlo al Direttore. E questi l'aveva freddamente congedato asserendo che non ci vedeva niente di male!

Mi sono sentito in dovere di convocare in commissariato il Natale e questi ha confermato. Alla sua frase: «Ho sorpreso in bagno Müller e Arzigò che si scambiavano effusioni», il Direttore rispondeva con le parole riferite dal figlio del mio amico. Molto sorpreso dal contegno del Direttore Carmelo Porrino ho ritenuto indispensabile convocarlo, chiedendogli spiegazioni. Egli mi è sinceramente sembrato cadere dalle nuvole.

A quanto pare, quando il capoclasse andò a denunziare il comportamento dei due, egli, essendo un poco sordo d'orecchio, invece che «effusioni» capì «fusioni», che sarebbero i blocchetti di zolfo fuso che gli allievi fanno come esercitazione, e non trovò quindi nulla di sconveniente in questo innocente scambio.

Come mai non gli passò per l'anticamera del cervello che se il capoclasse era andato di corsa a fargli una denunzia doveva necessariamente trattarsi di ben altro che di un semplice passaggio di mano di pezzetti di zolfo?

La risposta, signor Questore, è nella sua supposizione di cretinismo che riceve ampia conferma.

Ho consigliato al Direttore di trovare un solido pretesto per espellere l'Arzigò Bartolomeo dalla Scuola non appena essa sarà riaperta.

Oltretutto, a detta del figlio del mio amico, l'Arzigò non manca di approfittarsi del Müller facendosi fare continui regali anche in moneta sonante.

Lo terrò d'occhio, questo giovane che promette bene.

Qualora, per sciagurata ipotesi, il Müller, dopo l'allontanamento dell'amico, dovesse nuovamente tentare di fingere il suicidio, allora provvederei, con un certo piacere non lo nascondo, a informare il signor ingegnere sulla vera natura del figlio.

Rispettosi saluti

IL COMMISSARIO DI P. S. DI VIGÀTA
(Giacomo Spera)

REGIO MINISTERO DEGLI ESTERI
IL MINISTRO

Prot. n. 234/701/B
Oggetto: *Principe Grhane Sollassié*

Al Cavaliere Carmelo Porrino
Direttore Regia Scuola Mineraria
Vigàta

Roma, 20 settembre 1929

Camerata Porrino!

Nulla osta, da parte di questo Ministero, alla domanda d'iscrizione presso la Regia Scuola Mineraria di Vigàta del Principe Grhane Sollassié Mbssa.

Saluti fascisti

per il MINISTRO
il Capo di Gabinetto
Corrado Perciavalle

Frammenti di parlate 1

VIGÀTA – DOPOLAVORO «GIOVANNI BERTA»
23/8/1929, ORE 19

– ... ora pare che 'sti abissini...
– Ma si può sapiri come si chiamano?
– Cu?
– L'abissini!
– Cavaliere, volete mettervi a babbiare? Come s'han-
no a chiamare l'abissini? Abissini!
– Mizzica, che testa che avete! Con voi non ci par-
lo cchiù!
– E pirchì?
– M'avete offiso!
– Io?! Volete spiegarvi?
– Certo che lo so chc l'abissini si chiamano abissini!
Ma allura pirchì li chiamano macari etiopi?
– Questo in cuscienza non ve lo so dire, cavaliere.
Capace che quelli che stanno a nord si chiamano abis-
sini e quelli che stanno a sud etiopi. O arriversa.
– Inzumma, voi mi state venendo a dire che sareb-
be accussì come da noi che ci stanno lombardi e ca-
labresi?

41

– Esatto.

– Ennò, egregio!

– Mi sbagliai?

– Certo che vi sbagliaste! Pirchì se tra noi ci stanno lombardi, calabrisi, veneti, siciliani, pigliati tutti 'nzemmula ci chiamiamo italiani. Non è che l'Italia a nord si chiama Lombardia e a sud si chiama macari Trinacria!

– Cavaliere, ma pirchì vi siete amminchiato con 'sta storia del nome?

– Pirchì non mi pirsuadono! Pre sempio, 'sto Principe, pirchì si chiama Sollassié?

– Per la stissa ragione per la quale voi vi chiamate Sferlazza.

– Ah, sì? E come faciva di cognome mè zio Totò?

– Sferlazza, come doviva fare?

– E qui vi volevo! Mi spiegate allura pirchì 'stu minchia di Principe si chiama Sollassié quanno sò zio, l'Imperaturi, si chiama Sellassié?

– E chi 'nni saccio io? Capace che in Abissinia i nipoti cangiano di vocale.

– Ah, sì? E allura secondo voi i figli mascoli si chiamano Sillassié? E le figlie femmine Sullassié? E i cugini Sallassié? Io, privo di Dio, quanno vi sento arraggiunare accussì, mi fate perdere la vista di l'occhi!

– Cavaliere, volete farvi viniri un sintòmo? Qua stiamo parlando tanto per parlare.

– Mah! Lassamo perdiri. Che mi stavate dicendo?

– Che pare che 'st'abissini non portano scarpe.

– Vero è?!

– Sissignori. Manco il loro Imperaturi le porta.

– Allura questo Principe si farà passiate paìsi paìsi scàvuso?

– Accussì pare.

– Beh, a pinsaricci bono, macari i nostri viddrani caminano scàvusi.

– Che c'entrano i viddrani? Quello Principe è! Ve lo vedete il nostro caro Principe don Ludovico Pignatelli Aragona Cortez assittato scàvuso al cafè Castiglione?

– Hai prisenti un eliofanti?

– Certo. Cinn'era uno al circolo questre, l'anno passato.

– Hai prisenti la proposcite dell'eliofanti?

– Sissignuri.

– L'abissini ce l'hanno preciso 'ntifico!

– 'U naso?!

– Ca quale naso e naso!

MONTELUSA – CASA DEL FASCIO
1/9/1929, ORE 11

– Camerata Porrino, a rapporto!

– Chi siete e che volete. Svelto e veloce. L'uomo che adopera dieci parole quando ne basterebbero cinque è un individuo che non ha capito niente dello spirito dinamico del fascismo.

– Direttore Regia Scuola Mineraria Vigàta stop Oggetto arrivo allievo principe negro stop.

– Cos'è, un telegramma? Osate fare lo spiritoso?

– Signor Federale, non mi permetterei mai, io...

– Ma come parlate?!

– Chi? Io?!

– Voi, voi! Signor Federale! Qui non ci sono signori, avete capito, Porrino? Solo camerati! Qua dentro siamo tutti camerati! Ve ne do un esempio. Voi, laggiù, nella terza fila, alzatevi! Non voi, quello accanto, il prete. Bene. Siete un prete, vero?

– Certamente, camerata Federale!

– Ma siete soprattutto un?...

– Un fascista, camerata Federale!

45

– Avete visto? Voi, Porrino, mostrate uno spirito inguaribilmente borghese!

– Camerata Federale, io sono un fascista della prima ora! Sua Eccellenza il Generale Emilio De Bono, Quadrumviro della Rivoluzione Fascista, è mio cugino in secondo grado!

– Va bene, va bene, parlate.

– Camerata Federale, non so se voi sapete che...

– Alt!

– Matre santa, che dissi?

– Camerata Porrino, non andate incautamente oltre! Chi sono io?

– Voi... Voi siete il camerata Federale, camerata Federale.

– E cosa rappresento io nella provincia di Montelusa?

– Il Fascio, eccel... camerata Federale.

– E chi è il Capo Supremo del Fascio?

– Il Duce!

– Saluto al Duce!

– A noi!

– Bene. E il Duce non sa tutto di tutto? Non conosce perfino i nostri pensieri? Non è Egli Onniveggente? Non sa tutto quello che accade nell'Italia Fascista?

– Certo, camerata Federale.

– E quindi io, essendo il rappresentante del Capo Supremo del Fascio, so tutto di voi! Avete capito?

– Signorsì.

– Ripigliate correttamente il vostro discorso.

– Camerata Federale, come voi naturalmente sapete, c'è la probabilità che tra qualche giorno nella mia

46

Scuola entri come allievo un nipote del Negus e allora io...

– So, so. Non dilungatevi. Dite quello che volete sapere.

– Come lo devo trattare?

– Che significa?

– Se per caso fa qualche cosa di sbagliato, se si comporta malamente, io che devo fare? Devo chiudere un occhio?

– Gli vorreste riservare un trattamento particolare?

– Camerata Federale, dalla lettera che m'ha mandato Sua Eccellenza il Ministro degli Esteri m'è parso di capire che...

– Voi non dovete capire, Porrino! Dovete solo credere e obbedire! E combattere, se sarà il caso!

– Va bene, camerata Federale. Ma come lo devo trattare?

– Come tutti gli altri, Porrino! Esattamente allo stesso modo! Se è indisciplinato, che impari la ferrea disciplina fascista!

– Farò come voi dite, ma siccome dalla lettera m'era parso che le cose...

– Parlate chiaro.

– Ecco, Sua Eccellenza il Ministro mi ha scritto di evitare ogni possibile contrasto con il giovane etiopico in quanto che, se risaputo, potrebbe nuocere alla politica estera del Duce.

– Allora vuol dire che voi tempererete la ferrea disciplina fascista con un poco di buonsenso romano. I romani facevano marciare le loro quadrate legioni usando il bastone e la carota! Una punizione oggi, un premio domani. Avete capito?

– Signorsì.

– C'è altro?

– Un'ultima domanda. Il sabato questo etiopico deve indossare la camicia nera come tutti gli altri ragazzi?

– È iscritto alla Gioventù Fascista?

– Mi sono informato col Direttore del Convitto Nazionale di Palermo del quale è stato allievo. Non è iscritto.

– Naturale, essendo uno straniero, non ne ha l'obbligo.

– E allora che faccio? Il sabato lo lascio a casa?

– Lasciatemi pensare un momento, perdio! Tacete!

– Signorsì.

– Dite un po': ha la pelle nera?

– Mi dicono di sì.

– Ma quanto nera?

– Nera come il carbone, camerata Federale.

– Allora non c'è problema. Il sabato fatelo venire a scuola a torso nudo.

VIGÀTA – CAMERA DA LETTO CASA BUTTICÈ
8/9/1929, ORE 22

– Pippì, allura 'stu bissino arriva o non arriva?

– Pare che arriva.

– Vero è che camina scàvuso?

– Ma quannu mai! Porrino parlò col Direttore del Convitto di Palermo. Porta scarpi che costano quanto a dù misate di stipendio mio!

– Allura è riccu?

– Sfunnato! Principe è!

– Chisto non significa nenti. 'U Principi di Santa Venerina non havi soldi manco per accattarisi i giornali. 'U Principi di Torricola havi le pezze al culu. 'U Principi di...

– La finisci cu 'sta litania? Dumani a matino mi devo susiri alle sei!

– Pippì, senti 'na cosa.

– Bih, chi camurria! Che c'è?

– Mi vrigogno a parlari.

– Ma comu? Prima mi vuoi spiare una cosa e doppo

49

ti vrigogni a spiarimilla? Parla, santu diavuluni! E appresso fammi dormiri!

– Abbassa la vuci! Se gridi accussì, arrisbigli a Michilina!

– Va bene. Me l'addumanni 'sta cosa o no?

– Aieri la signora Burruano, alla nisciuta della missa, mi disse che 'sti bissini... 'nzumma... pare che 'sti bissini... 'sti bissini...

– Ora mi piglio 'u matarazzo e minni vaiu a dormiri nel retrè.

– Aspetta, che mi vrigogno assà. In nomu del Patre, del Figliu e dello Spiritu Santu. Signuruzzo, nun lo spio per intentu maliziusu, ma per farinni buon usu. Amen.

– Pazza niscisti? Ora ti metti a prigari e a diri giaculatorie?

– Pippì, veru è che 'sti bissini ce l'hanno granni e grossa quanto la proposcite di un elefanti?

– Ma che vi viene in testa a voi fìmmine? Omo è, non è elefanti!

– Ah, sia ringraziatu Diu! Bonanotti, Pippì, dormi.

– Ennò, Carmelì! Ora tu me la conti tutta! Pirchì ringrazii Diu che la minchia del bissino è di misura normale?

– Non parlari accussì! Non diri parolazze!

– Io dico parolazze quantu mi pari e piaci! Carmelì, a costo di fari matina, tu ora parli.

– Pinsavo a nostra figlia.

– A Michilina? E chi c'entra Michilina con la min... col bissino?

– Pinsavo che capace che 'stu bissino potiva essiri un bon marito per nostra figlia.

– Tu sei completamente pazza!

– Stammi a sintiri. Se quanno arriva 'stu Principe, tu, dato che sei il segretario della Scuola Mineraria, lo inviti un jorno a mangiare qua da noi accussì accanosce a Michilina e…

– … e sinni torna di cursa in Abissinia! Tu a tò figlia la vidi con l'occhi di matre, e va beni, ma Michilina laida assà è! Havi le gamme torte, i baffi e pari 'na negra!

– E pirchì, iddru non è macari lui negro?

– Eccellenza, agli ordini.

– Accomodatevi, accomodatevi, caro Pulvirenti. Come va a Vigàta?

– Tutto tranquillo, signor Prefetto.

– Bene. Vi ho convocato perché ho ricevuto una lettera urgente di Sua Eccellenza il camerata Ministro dell'Interno che vi riguarda in quanto Podestà di Vigàta.

– Matre santissima, morto sono! O Gesù, Giuseppe e Maria, siate la salvezza dell'anima mia! Il Ministro scrisse? Perso sono! Oddio mio, Oddio mio! Che feci, sbagliai? Che feci, ah? Sbagliai? Che vole il Ministro da mia?

– Calmatevi, Pulvirenti...

– Ennò, perché tanti mi vogliono male, signor Prefetto! Voi non sapete la quantità di quanti mi vogliono o morto o in càrzaro!! E allora che fanno, i grannissimi cornuti? Pigliano e scrivono lettere anonime piene d'infamità sulla mia persona!

– Sentite, Pulvirenti...

– Dicono che mi metto in sacchetta i soldi del Comune! Che mi faccio pagare l'appalti! Che m'approfitto della figlia del custode del camposanto! A mia! Che sono l'onestà fatta pirsona! Fascista sono! Che lo sa solo Dio quanto sono fascista! Guardate qua, Eccellenza, lo vedete questo segno supra al polso mancino?

– Questa specie di neo?

– Sissignore! Un comunista mi fece questa ferita! Il mio sangue versai per la Rivoluzione! E ora mi vogliono consumare! Ma dove sbagliai, ah?

– Pulvirenti, basta così o vi caccio via! Basta! Se dite di essere fascista, comportatevi da fascista! Con animo fermo e virile! E soprattutto lasciatemi parlare!

– Va bene, va bene, Eccellenza.

– Dunque, siccome tra qualche giorno arriverà a Vigàta un giovane Principe abissino che...

– So già tutto, Eccellenza.

– Bene, il Ministro desidera che voi vi diate da fare per trovargli un alloggio adeguato.

– Signor Prefetto, ma da noi non ci sono alloggi adeguati a un Principe! Tutti alberguzzi sono.

– Non ci siamo capiti. Il Ministro vuole che cerchiate una pensione di buona qualità dove egli possa...

– Come pensione, c'è quella della signora Palillo.

– Che tipo di clienti?

– Studenti.

– Meglio così.

– Ma non so se...

– Dite, dite.

– Non so se la signora Palillo se lo piglia in casa.

– Perché è negro? Dite a questa Palillo di non rompere i coglioni con la faccenda del...

– Non si tratta di questo, Eccellenza. Vedete, la signora non accetta clienti che non siano di provata Fede Fascista. Ora noi non sappiamo se questo etiopico...

– Siamo a cavallo, Pulvirenti! Proprio quello che ci voleva! Il Ministro vuole che il Principe sia discretamente tenuto d'occhio in modo che se ne possano conoscere le idee, i sentimenti che nutre verso il Duce e il Fascismo. C'è, in quella pensione, qualcuno di cui possiamo fidarci?

– Come no? Antonio Argento. Studia al liceo ed è sempre il primo nelle adunate e nelle manifestazioni. Indossa ogni giorno la camicia nera sopra la quale ha fatto arriccamare dalla madre la testa del Duce.

– Benissimo. Voi andate a parlare con la padrona della pensione che non faccia storie e mandatemi qua questo Argento. A proposito, è cara la pensione?

– Beh, alla signora si può sempre domandare uno sconto.

– Fatelo, nel vostro stesso interesse.

– E che c'entra ora il mio interesse, scusatemi?

– Non intendevo quello vostro personale, Pulvirenti, ma quello del Comune del quale siete Podestà.

– E che c'entra il Comune?

– Perché il costo della pensione è a carico del Ministero degli Esteri.

– Ma se è a carico del Ministero degli Esteri, che c'entra il Comune?

– C'entra in quanto sarà il vostro Comune ad anticipare la retta mensile della pensione e solo in seguito, dietro presentazione delle ricevute, la somma totale vi verrà rimborsata.

– Fatemi capire, Eccellenza. Dato che la retta della pensione è di 340 lire al mese, questo significa che il Comune dovrà anticipare duemila e quaranta lire?

– Esattamente. Ma non capisco che conto state facendo!

– Ho moltiplicato la retta mensile per i sei mesi del primo corso.

– Ennò. Il Ministro prevede che il giovane possa decidere di restarsene tutto l'anno a Vigàta.

– Allora addiventano quattromila e ottanta lire.

– Ennò. Il Ministro prevede che il Comune anticipi per tutti e tre i corsi, quindi per tre anni.

– Minchia!

– Pulvirenti!

– Ma Eccellenza, fanno dodicimila e duecentoquaranta lire.

– Embè?

– Il Comune fallito va!

– Ennò! Non dite eresie! Nell'Italia Fascista nessun Comune può andare fallito!

– Ma se i soldi il Comune non li ha!

– Vuol dire che provvederete voi di tasca vostra. Tanto vi saranno restituiti a tempo debito, no?

– Ma Eccellenza, io...

– Pulvirenti, vogliamo metterci a parlare del sistema

che usate per dare gli appalti? Di quella minorenne figlia del custode del cimitero?

– Eccellenza, voi volete vedermi morto!

– Basta così, Pulvirenti. Saluto al Duce.

– A noi!

VIGÀTA – AGENZIA BANCO DI SICILIA
15/9/1929, ORE 17

– Scusi, signor Direttore, ma io veramente di quello che mi ha detto non ci ho capito niente.

– Lei ha ragione da vendere, Musumeci. Il fatto è che nemmeno io ci sto capendo niente. Lei, come capocassiere anziano, ha tanta più esperienza di me e perciò speravo che mi potesse suggerire...

– Direttore, in definitiva, che ci chiede il Ministro degli Esteri?

– È questo il punto. Dunque, il Ministro degli Esteri ci informa che le spese personali, badi bene, personali, del Principe Grhane Sollassié Mbssa sono a carico della Corte Etiopica.

– E a noi che ce ne fotte, rispetto parlando?

– Ce ne fotte eccome! Il Ministro ci informa che la Corte Etiopica non ha ancora quantificato.

– E allora se ne parlerà quando avranno quantificato.

– Ennò, Musumeci. Il Ministro dice che nell'attesa della quantificazione, noi dobbiamo anticipare, perché la generosità fascista...

– Stiamo parlando di soldi, Direttore. E i soldi non sono né fascisti né comunisti, sono soldi e basta.

– Che intende dire?

– Che chi sbaglia coi soldi, paga di persona, senza rispetto per la politica.

– Ma che significa, Dio santo?

– Significa che se questo Principe si presenta qua e vuole mille lire per le spese personali e lei, con generosità fascista, gliele dà e poi si scopre che la Corte Etiopica ha quantificato il tetto massimo delle spese personali in trecento lire, le settecento di differenza, dato che non sono state autorizzate né dalla nostra banca né da nessun altro, ce le rimette lei di tasca sua. Insomma, la generosità fascista le entra tutta in quel posto. Mi sono spiegato?

– Si è spiegato benissimo. Ma d'altra parte, se il Principe si presenta e vuole mille lire, come faccio a dirgli che gliene do solo trecento?

– Può dirgli che si tratta di un anticipo e intanto guadagna tempo.

– E se il Ministro poi s'incazza?

– Non possiamo aspettare che la Corte quantifichi?

– No. La lettera parla chiaro. Dice che nelle more dell'iter della quantificazione, dobbiamo anticipare noi.

– Senta, faccia così. Chieda subito istruzioni alla nostra Direzione generale.

– Non c'è tempo, Musumeci!

– Perché?

– Un'ora fa mi ha telefonato il Principe e...

– Come parla?

– Italiano. E mi ha preannunziato una sua visita per domani mattina. Che significa che viene a bussare a denari! E quelli della Direzione va a sapere quando si degnerebbero di rispondermi!

– Una soluzione ci sarebbe.

– Me la dica.

– Lei piglia il treno e va a Palermo a parlare con la Direzione. Si faccia dare un'autorizzazione scritta.

– Ma non faccio in tempo a tornare per domani mattina!

– Potrà tornare con comodo. Basta mettersi d'accordo e domani mattina non apriamo l'agenzia.

– E perché?

– Perché c'è stata un'epidemia d'influenza.

– Ma via, Musumeci! Tutti e nove gli impiegati dell'agenzia che si ammalano contemporaneamente, mentre il resto del paese crepa di salute? Non ci crederà nessuno! Apriranno un'inchiesta! E dovrebbe ammalarsi macari il ragioniere Bullone?

– Certo.

– Ma non lo sa che Bullone è una spia del Federale? Quello ci denunzia a tutti!

– Vero è. Però una soluzione ci sarebbe.

– Un'altra?

– Sì.

– Lo sapevo che lei era una vecchia volpe! Mi dica, Musumeci.

– Ma prima... non vorrei apparire inopportuno, signor Direttore...

– Via, che inopportuno e inopportuno! Parli liberamente!

– Si ricorda di quella mia gratifica che l'anno scorso mi venne negata?

– Ah, quella? Non dubiti che ne parlerò oggi stesso in Direzione. La consideri cosa fatta. Allora, questa soluzione?

– Un principio d'incendio. Stasera, cinque minuti prima della chiusura dell'agenzia.

– Ma che dice?!

– Un incendiuccio senza importanza. Alcune carte che sono andate a fuoco perché un cliente ha lasciato cadere una sigaretta accesa in un cestino. Ma noi dobbiamo controllare quali carte sono andate distrutte. Per questo l'agenzia domani dovrà restare chiusa. Mi sono spiegato?

– Sì, ma questa cicca chi la butta?

– Non ci stia a pensare.

– E Bullone?

– Dopopranzo lo mando a Montelusa, alla Banca d'Italia. Non sarà presente al momento che il cestino piglia foco.

– Musumeci, lei è un Dio!

VIGÀTA – CASA DEL POETA PRESTIFILIPPO
15/9/1929, ORE 22

– Papà, c'è permesso?
– Trasi, Ninetta, trasi.
– Mi sto andando a corcare, papà.
– Bonanotti, figlia mia.
– E tu non ti vieni a corcare? Tardo è.
– Ancora cinco minuti che finisco di scrivere una poesia.
– Un'altra ne stai facendo?
– Sì. La voi sintiri?
– Come no!
– È per la scascione dell'arrivo del Principe etiopico. Ne sintisti parlare di 'st'arrivo?
– Non si parla d'altro, in paìsi. Leggimela.

Le carovane del Tigrai
dove un'oasi non c'è mai,
le dune della Dancalia
cotte dal sole che abbalia.

– Papà, manca una g. Il sole abbaglia.

– Licenza poetica, figlia mia. Continuo.

L'obelisco di Axum
che par che dica Ego sum,
la corsa libera della gazzella
che fugge e si ribella
al leon che vuole acchiapparla,
il contadino che ai figli parla
seduto nel suo tukul...

– Qui devo ancora trovare un verso, mi viene difficile la rima.

Tutto questo, o principe altero,
benché tu sia nero nero,
a noi porti col tuo passo che sa
dei deserti l'immensità.
E noi ti accogliamo, fratello
di un grande mondo gemello,
dicendoti ad una voce
e alta brandendo la Croce:
Scendi con noi nella pista
della Rivoluzion Fascista!
Nessuno ormai ci fermerà!
Eja, Eja, Alalà!

– Che te ne pare?
– È bellissima, papà!
– Grazie. Appena trovo la rima che mi manca, mi vengo a corcare.

– Senti, papà. Ma è proprio necessario quel tukul? Suona strammo.

– Se accussì si chiamano le capanne che...

– Appunto. Perché non la chiami capanna? *Il contadino che ai figli parla / seduto nella sua capanna...*

– E che rima ci faccio? Panna? Spanna? *Il contadino che al figlio parla / seduto nella sua capanna / alto quanto una spanna...* No, non si capisce chi è alto quanto una spanna, il contadino o il figlio? Condanna? Azzanna? Affanna? *Seduto nella sua capanna / davanti alla figlia Susanna...* No, non funziona.

– Senti questa, papà: *Seduto nella sua capanna / nella notte che inganna...*

– No, figlia mia, manco questa va bene.

– Ho trovato, papà. Manna! Stai a sentire: *Seduto sotto l'albero di manna / davanti alla sua capanna...*

– Siamo sicuri che la manna sia un albero?

– Sicurissima.

– A cavallo siamo! Questa manna dà un che di biblico...

– La vuoi pubblicare, papà?

– No. Il Direttore della Scuola Mineraria mi ha invitato all'apertura dell'anno scolastico che si farà il venti di 'stu misi. Tu vieni con me e gliela reciti davanti a tutti.

– Oh che bello! Grazie, grazie, papà!

– A quest'ora vi presentate? Tutto il dopopranzo che aspetto! Ma che è successo? Tardò il treno? Parlate, brigadiere.

– Come da vostro ordine, commissario, io e l'agente Pedullà ci siamo recati presso la locale stazione ferroviaria onde attendere l'arrivo del treno delle ore quindici e trenta proveniente da Palermo. Dal quale suddetto treno, fascisticamente arrivato in orario perfetto, ne scese, commisto in fra gli altri passeggeri, un giovane negro la cui vista ci interdisse.

– Perché?

– Perché non portavasi abbigliamento principale, come addicesi al rango suo, anzi era piuttosto malovistuto e secolui non arrecava bagaglio alcuno.

– Manco una valigetta?

– Niente. Solo una federa di cuscino che teneva in sopra la spalla e che doveva contenere effetti personali tipo ricambio quasette e mutande.

– Andate avanti.

– Non essendo frattanto dai vagoni del suddetto treno disceso altro viaggiante negro, ci facemmo persuasi che trattavasi proprio della persona di cui in oggetto.

– E che avete fatto?

– L'agente Pedullà lo seguiva e vedeva il giovane montare in una carrozza e sentiva che diceva al cocchiero l'indirizzo che sarebbe di portarlo in via Carducci dieci.

– Cioè alla pensione «Patria», quella della signora Palillo.

– Esattamente. Noi due invece alla suddetta pensione ci andavamo a piedi e arrivavamo in loco inverso le ore sedici, minuto più minuto meno, indove, secondo gli ordini vostri, dovevamo controllare che il giovane fosse bene sistemato. Ma non appena arrivati, la signora Palillo ci disse essersi a lei presentato un cocchiero recante un'ambasciata del negro il quale facevale sapere che sarebbe andato nella pensione inverso la serata e le lasciava intanto la federa contenente gli effetti personali del medesimo.

– E lui dove se n'era andato?

– Questo è stato il busillo, signor commissario. Siamo tornati alla stazione ferroviaria e abbiamo minacciato il cocchiero il quale, a domanda, rispondeva che aveva risposto a una domanda del negro.

– Non ci sto capendo una minchia.

– Signor commissario, il giovane domandò al cocchiero indove poteva andare a sfogare, diciamo così, la sua gioventù datosi che ne aveva urgentissimamente di bisogno.

– Voleva andare al casino?

– Preciso, signor commissario. Il cocchiero rispose-gli che poteva accompagnarlo in via Risorgimento indove che trovasi...

– Il casino di donna Jole.

– Preciso. Ma il giovane dissegli che ci sarebbe andato a piedi e che intanto lui, il cocchiero, avvertisse del suo arrivo la padrona della pensione. E fattasi spiegare la strada, se ne andò.

– La carrozza la pagò?

– Quella sì, signor commissario.

– E voi che avete fatto?

– Ci siamo recati nel suddetto casino indove siamo pervenuti inverso le ore diciassette e spicci. Quivi donna Jole, ovverossia la tenutaria, ci disse che il giovane negro aveva prenotato tre ragazze che lei, la tenutaria, doveva mandargli in camera distanziate di un'ora l'una dall'altra.

– Mizzica!

– Proprio accussì, signor commissario. Di conseguenzia, io e l'agente Pedullà abbiamo deciso che la meglio era aspettare che il suddetto finisse di sfogarsi. Ma datosi che suscitavamo imbarazzo nei clienti datosi che essi ci riconoscevano a vista, donna Jole miseci in un salottino riservato.

– E poi?

– Inverso le ore venti donna Jole venne a dirci che il negro aveva finito di consumare ma che, non potendo pagare le marchette datosi che non era in possesso manco di una lira una, suggeriva alla suddetta d'inviare il conto alla locale agenzia del Banco di Sicilia.

– Ma è pazzo?

– Onde non suscitare incidenti, mi sono permesso io di pagare e mi sono fatto rilasciare regolare ricevuta che mi pregio sottoporvi per il dovuto rimborso. Eccola qua.

– Brigadiere, ma siete nisciuto pazzo macari voi? Come faccio a presentare alla Questura domanda di rimborso per sei marchette di mezz'ora in un bordello? Vogliamo babbiare? E poi?

– E poi, niente. Il giovane è uscito, si è informato dov'era la pensione «Patria» e ci è andato. Quando l'abbiamo visto entrare nel portone, siamo tornati qua. Mi scusi, commissario, ma a me chi mi rimborsa?

– Il Banco di Sicilia, brigadiere.

Carpetta n. 2

CHAPTER 5

Settimanale della Federazione Fascista di Montelusa

Vigàta. L'altrieri svolsesi presso l'Aula Magna della Regia Scuola Mineraria la solenne inaugurazione dell'anno scolastico 1929-30. Alla cerimonia hanno voluto presenziare le più alte Autorità della Provincia: il camerata Segretario Federale Arnaldo Caccialupi; S. E. il Prefetto Felice Matarazzo e il Questore Commendator Filiberto Mannarino, e inoltre il Podestà di Vigàta, Ignazio Pulvirenti e il Segretario Politico Sebastiano Borino. E con somma soddisfazione segnaliamo anche la presenza di Mons. Angelo Sorrentino, in rappresentanza di S. E. il Vescovo di Montelusa, e di Don Stefano Ficarra, designato quale Insegnante di Religione presso la Scuola. I due Sacerdoti, e il Crocefisso posto tra i ritratti di S. M. il Re e il Duce, erano il segno tangibile del nuovo clima dei rapporti tra Stato e Chiesa, sanciti da quei Patti Lateranensi così fortemente voluti da S. E. Benito Mussolini. Dopo il Saluto al Duce, ha parlato il Segretario Federale che ha portato il Saluto particolare del Capo del Governo che con la consueta lungimiranza vede in questa Scuola uno dei pilastri per lo sviluppo dell'industria mineraria nell'Italia fascista. Il Direttore della Regia Scuola ha voluto in particolar modo segnalare la presenza del primo allievo straniero, un etiope, il Principe Grhane Sollassié Mbssa, nipote del Negus Neghesti Ailé Sellassié, e ha invitato il giovane a entrare nell'Aula. Grande è stato lo stupo-

71

re dei presenti nel veder comparire l'etiope in perfetta tenuta fascista. È scoppiato un applauso irrefrenabile che ha accompagnato il giovane fino a che è arrivato ai piedi del palco d'onore. Qui si è fermato e si è fatta avanti la vezzosa Antonietta Prestifilippo, figlia del noto poeta Gaetano, che ha declamato un'ode di benvenuto al Principe accolta con molto favore dai presenti (la pubblichiamo nella pagina seguente). Quindi la cerimonia si è conclusa al canto degli Inni Fascisti *(G. I.).*

REGIA SCUOLA MINERARIA DI VIGÀTA
IL DIRETTORE

Numero protocollo 4570/A
Oggetto: *Allievo etiopico*

A S. E. il Prefetto
Comm. Felice Matarazzo
Montelusa

                              Vigàta, 22 settembre 1929
  Eccellenza!
dopo aver espletato una rapida ma approfondita inchiesta, sono in grado di dare risposta a quanto urgen-
temente richiestomi dall'Eccellenza Vostra in merito
all'apparizione, in occasione della solenne inaugurazione dell'anno scolastico 1929-30, dell'allievo etiope
Principe Grhane Sollassié Mbssa indossante la nostra
amata e venerata divisa Fascista.
  Non si è trattato come ha prontamente pensato il Camerata Federale, di un gesto di volgare dileggio verso
la nostra Fede Fascista, né tantomeno della pubblica

dimostrazione del Principe di voler abbracciare la suddetta Fede, come altri hanno creduto e approvato col loro scrosciante applauso.

È stata invece una mia personale iniziativa onde evitare che l'allievo straniero facesse a tutti un'impressione sfavorevole non rispondente alla realtà delle cose.

E vengo ai fatti.

L'allievo etiope si è presentato nella mia Regia Scuola la mattina del giorno 19, vale a dire quello antecedente l'apertura, alle ore 10 e ha sottoposto al Segretario i documenti richiesti per l'ammissione (che sono risultati essere tutti in perfetta regola).

Dopo avere espletato le necessarie formalità, egli è stato accompagnato dal Segretario in Direzione, dove l'attendevo.

Ho subito notato che il giovane, di bell'aspetto e di prestante presenza, non poteva in verità dirsi correttamente vestito in quanto indossava una camicia poco pulita, dei vecchi pantaloni sdruciti e completamente lisi sul ginocchio sinistro e una giacca consunta e sbrindellata con una vistosa toppa al gomito destro. Inoltre, non portava la cravatta e le sue scarpe erano tanto consumate da presentare delle vistose crepature. Egli ha avvertito il mio stupore e senza che io gli avessi domandato spiegazioni sul suo abbigliamento da pezzente, mi raccontò che, intrapreso il viaggio per venire a Vigàta, poco dopo la partenza del treno dalla stazione di Palermo, uno dei due viaggiatori di mezza età, che trovavansi con lui nello stesso scompartimento, gli aveva offerto del caffè caldo contenuto in un thermos.

Egli aveva accettato e poco dopo, preso da una strana sonnolenza, si era profondamente addormentato.

Risvegliatosi alla fermata di Caltanissetta-Xirbi, si era trovato completamente solo nello scompartimento e si era accorto che le due grosse valigie che aveva con sé e che contenevano tutte le sue cose erano sparite dalla rete portabagagli dove le aveva messe alla partenza.

Non solo, ma anche i vestiti che indossava gli erano stati rubati e sostituiti con quelli che egli riconobbe essere appartenuti a uno dei due compagni di viaggio.

È chiaro che i due malfattori l'avevano drogato.

Ma non aveva potuto fare in tempo a sporgere denunzia alla Polizia Ferroviaria perché in quel momento il treno era ripartito.

Naturalmente era sparito anche il portafoglio, che egli teneva nella tasca interna della giacca, contenente ben ottocentotre lire. Aggiungeva che, recatosi all'Agenzia del Banco di Sicilia (dove avrebbe dovuto trovare un deposito a suo nome) prima di presentarsi alla Scuola, aveva avuto la sgradita sorpresa di sentirsi dire che l'Agenzia era chiusa in seguito a un piccolo incendio sviluppatosi la sera avanti.

A questo punto non era possibile in nessun modo, data la scarsezza di tempo a disposizione, ordinare un nuovo abito per il Principe affinché si presentasse all'inaugurazione vestito in modo acconcio.

Che fare allora per risolvere la disagevole situazione?

Ho convocato con urgenza due allievi del secondo corso suppergiù di statura e di corporatura compatibili con quelle del Principe, ma tutti e due disponevano purtroppo di un solo vestito buono da indossare per l'inaugurazione.

Allora mi veniva l'idea di farmi prestare da uno dei due la sua divisa Fascista. Il Principe, ringraziandomi, mi assicurava che non avrebbe avuto difficoltà alcuna ad indossarla, dicendomi che al suo Paese, e riferisco la cosa per pura curiosità, esiste un noto proverbio che all'incirca recita così: «l'uomo non vale per come e quando è vestito, ma per come e quando è nudo».

Eccellenza!

Colgo l'occasione per portare a Sua conoscenza che anche stamattina il Principe, col mio permesso, si è assentato dalle lezioni per recarsi presso l'agenzia del Banco di Sicilia.

Ha parlato col Direttore il quale gli ha detto che non è in grado di fargli avere più di trecento lire mensili quale anticipo sulle tremila che gli spetterebbero in quanto dalla Corte Etiopica non sarebbe pervenuto alla Direzione Generale di Palermo ancora nessun accredito.

Quindi il Principe, oltre che a venirsi a trovare quanto prima in ristrettezze, è ancora costretto a venire a Scuola, e a girare per il paese, indossando sempre la divisa Fascista.

Non si potrebbe in qualche modo sollecitare il Banco a concedere un anticipo un poco più cospicuo?

Temo che egli per necessità sia costretto a chiedere qualche piccolo prestito alla Segreteria della Scuola, prestito che non gli può essere concesso se non a titolo personale.

Rimango sempre in attesa di ordini da Vostra Eccellenza!

Viva il Duce!

IL DIRETTORE DELLA R. SCUOLA MINERARIA
(Carmelo Porrino)

FEDERAZIONE PROVINCIALE FASCISTA
DI MONTELUSA
IL SEGRETARIO FEDERALE

CREDERE, OBBEDIRE, COMBATTERE!

Al Camerata Filiberto Mannarino
Questore di
Montelusa

Foglio d'ordini n. 34521/FZ

Montelusa, 25 settembre 1929

Camerata!
È con sommo, irrefrenabile sdegno che ho letto questa lettera del Direttore della Scuola Mineraria di Vigàta indirizzata a S. E. il Prefetto, che egli ha voluto portare a mia conoscenza, e che io vi rimetto in copia.
Domando a voi:
è tollerabile che nell'Italia Fascista possano accadere episodi come quello capitato al Principe etiope che è stato derubato in treno nella tratta Palermo-Vigàta,

in pieno giorno, delle due valigie e persino del vestito che indossava?

Io credo che fatti simili possano accadere solo nel paese dei Soviettisti dove, com'è noto, i genitori per la miseria e la fame sono costretti a divorare persino i loro figli neonati, non certo in un Paese come il nostro illuminato in ogni dove dalla solare luce della Civiltà Fascista!

Per competenza territoriale, avrei dovuto indirizzare questo mio Foglio d'ordini al Questore di Caltanissetta, nei cui pressi è avvenuto il furto, ma purtroppo attualmente il questore Filippo Giambruno trovasi in via di trasferimento punitivo per scarso Spirito Fascista e quindi ritengo non sia nelle condizioni più felici per affrontare questo turpe e grave episodio.

Turpe e grave, perché è mia ferma opinione che non si tratti di un puro e semplice furto come ci vogliono far credere.

La mia idea è che ci troviamo invece di fronte a un ignobile gesto politico volto a coprire di fango il buon nome del nostro Paese, con lo screditare, agli occhi di un influente straniero, l'ordine e la sicurezza che regnano da noi ormai stabilmente per merito della Rivoluzione Fascista.

In altre parole, sono convinto che i due individui che si trovavano nello scompartimento col malcapitato Principe etiope erano due luridi comunisti travestiti da malfattori che così hanno agito su ordine del loro partito, partito che è assai simile a quelle immonde bestie che, pur decapitate, ancora continuano ad agitarsi schifosamente.

Essi, nelle loro turpi menti, pensano che il Principe, col solo dare notizia ai famigliari della Corte della disavventura occorsagli, implicitamente venga a denunziare un falso stato di precarietà nella sicurezza dei cittadini italiani.

Il che, torno a ripetere, è intollerabile!

Vogliate pertanto agire con prontezza individuando i due finti ladri e fare in modo che, una volta recuperato il maltolto, esso sia immediatamente restituito al Principe.

Saluti fascisti

IL SEGRETARIO FEDERALE
(Arnaldo Caccialupi)

Alla Gentile Signorina
Agatina Locascio
Via Francesco Crispi, 12
Palermo

Vigàta, 25 settembre 1929

    Agatina mia, mia amica del cuore,
Io so che tornerai a Vigàta al massimo tra una settima-
na, perché tuo padre è in via di guarigione, ma io non re-
sisto a scriverti per comunicarti una grandissima novità.
    Mi sono innamorata!
    Pazzamente innamorata!
    Finalmente! – dirai tu!
    Finalmente! – dico anch'io.
    È stato un vero e proprio colpo di fulmine, come tan-
te volte abbiamo letto in quei romanzi che assai ci piac-
ciono e che non credevo potesse avvenire nella realtà.
    Ti dico subito chi è il mio Lui: è un Principe! Un ve-
ro Principe!
    È un negro, ma ai miei occhi è un autentico Principe
azzurro!

Si chiama Grhane Sollassié Mbssa ed è il nipote dell'Imperatore d'Etiopia.

Ha diciannove anni, è molto alto, un fisico agile e snello e ha degli stupendi occhi cerulei che fanno un meraviglioso contrasto col colore della sua pelle.

Si è iscritto alla Scuola Mineraria del nostro paese ed è stato in occasione dell'apertura dell'anno scolastico che è avvenuto il nostro folgorante incontro.

Egli si è presentato in divisa fascista (e non ti dico quanto la divisa metteva in risalto lo splendore della sua corporatura di giovane leopardo!) e io gli ho declamato una poesia di benvenuto che mio padre ha voluto dedicargli e che è stata molto applaudita dai presenti. A metà lettura i nostri occhi si sono reciprocamente incatenati e mentre come una scossa elettrica mi percorreva il corpo, ho visto chiaramente che anche il suo corpo vibrava come un armonioso giunco appena mosso dal vento.

Non so come sono riuscita ad arrivare alla fine.

Al termine della cerimonia egli si è avvicinato a me per ringraziarmi (parla benissimo l'italiano) e il fenomeno si è ripetuto.

Non solo, ma mi ha tenuto la mano a lungo stretta tra le sue.

La notte non sono riuscita a chiudere occhio con la sua immagine sempre davanti e pensando a come avrei potuto fare per rivederlo.

Sentivo che, se non l'avessi rivisto, mi sarebbero mancate la luce e l'aria. Ebbene, non ci crederai: ma il giorno dopo, all'uscita dal liceo, me lo sono trovato davanti che m'aspettava!

Mi disse che aveva avuto un permesso per andare in banca e ne aveva approfittato per rivedermi.

Si era fatto dire tutto di me dai suoi compagni.

Come se fosse la cosa più naturale del mondo mi ha domandato come e quando avremmo potuto vederci di nuovo e io, come se fosse la cosa più naturale del mondo, gli ho risposto che il giorno dopo, alle sei, sarei dovuta andare con la corriera a Montelusa per fare visita a mia zia Carolina che non sta tanto bene e lui allora ha detto che sarebbe venuto a Montelusa con me.

Sulla corriera mi si è seduto accanto e abbiamo chiacchierato del suo paese. È nato ad Addis Abeba che sarebbe la capitale dell'Etiopia. Ho fatto visita alla zia per cinque minuti, poi sono andata di corsa e con un gran batticuore alla villa comunale dove io gli avevo detto di aspettarmi.

Ci siamo seduti su una panchina mezzo nascosta da una siepe.

Poi Lui si è chinato in avanti per cogliere da terra un fiore di campo, ma, nel porgermelo, si è accorto che tra i petali c'era una formichina. Invece di scuotere il fiore o di soffiarci sopra, egli vi ha messo accanto il suo dito e ha aspettato con pazienza che la formichina vi si trasferisse dal fiore, quindi si è nuovamente chinato in avanti e ha fatto sì che la formichina si posasse delicatamente a terra.

In quel gesto ho avuto la possibilità di vedere chiaramente tutta la grandezza del cuor suo e la profonda bontà dei suoi sentimenti!

Quindi mi ha messo un braccio intorno alla vita e ha voluto che poggiassi la testa sopra la sua spalla.

Siamo rimasti così, senza parlare, fino a quando non è venuta l'ora di riprendere la corriera.

Mi pareva di stare sognando.

A cena, papà, vedendomi agitata, ha voluto che mi misurassi la febbre. Trentasette e mezzo.

Domani tornerò a Montelusa con lui.

Ma partiremo con la corriera delle quindici per avere più tempo a disposizione.

Spero di vederti presto per raccontarti tutto.

Intanto ti saluta, dal settimo cielo, la tua felicissima amica del cuore

Ninetta

REGIO COMMISSARIATO DI P. S. DI VIGÀTA

Numero protocollo:
Oggetto:

Al Commendator Filiberto Mannarino
Questore di
Montelusa

Vigàta, 1 ottobre 1929

Signor Questore,
per ragioni che le appariranno evidenti al termine della lettura di questa mia riservata personale, non me la sento proprio di inviarle un rapporto ufficiale sul risultato dell'indagine da lei richiestami su ordine del Segretario Federale Arnaldo Caccialupi. Già era parso assai strano ai miei due uomini, inviati alla stazione di Vigàta per controllare discretamente l'arrivo del Principe, il vestiario che egli indossava, che assai più si addiceva a un autentico pezzente che non a un nobile, sia pure negro, quale il Sollassié Grhane.

Poiché mi era stato rapportato che egli era disceso dal treno con in mano nient'altro che una federa di cuscino contenente, a quanto pare, pochi suoi effetti personali, dopo aver ricevuto la sua lettera, mi sono detto che, a stretto rigore di logica, se le cose durante il viaggio erano andate esattamente come le aveva raccontate il Principe, egli sarebbe dovuto discendere dal treno a mani vuote.

Infatti è assai difficile ipotizzare che egli sia partito da Palermo secolui recando due lussuose valigie e una federa di cuscino.

Non avrebbe potuto tranquillamente mettere in valigia anche lo scarso contenuto della federa?

Per avere sicura conferma di una mia supposizione, mi sono personalmente recato presso la pensione «Patria», dove il giovane etiope alloggia, e ho domandato alla padrona di poter vedere la federa che egli aveva con sé all'arrivo.

La proprietaria è salita in camera del Principe, che intanto trovavasi a lezione alla Scuola Mineraria, ed è tornata con la federa che aveva lavata e stirata.

Ebbene, come avevo supposto, la federa portava ricamate le iniziali del Convitto Nazionale «Vittorio Emanuele» di Palermo e chiaramente quindi era stata sottratta dallo stesso Principe a detto Convitto.

Mi sono allora domandato: se il Principe aveva con sé la federa fin dalla partenza da Palermo, come mai essa non gli era stata rubata con tutte le altre cose?

Fatta una breve indagine presso le Ferrovie dello Stato, sono riuscito a sapere il nominativo del controllore, Cacopardo Aristide, che quel giorno e a quell'ora prestava servizio sulla tratta Palermo-Vigàta, e l'ho convocato in commissariato.

Egli ricordava perfettamente la presenza del giovane che, essendo un negro che parlava correntemente la nostra lingua, suscitava nei viaggiatori una certa curiosità.

Il Cacopardo, opportunamente interrogato, ha affermato che il giovane, mentre a Palermo montava in vettura, era stato notato subito da lui e dal capotreno che si trovavano a parlare sul marciapiede e il capotreno, Consolo Saverio, a vederlo così malvestito, raccomandava al controllore di tenere d'occhio i bagagli dei passeggeri in quanto quel giovane gli era parso poco raccomandabile.

Il Cacopardo, nel procedere lungo il treno controllando i biglietti, aveva rivisto il giovane in uno scompartimento della vettura di seconda classe.

Assieme al giovane che non aveva altro bagaglio se non una federa ripiena, si trovavano altre tre persone ben conosciute dal controllore, tre agiati mercanti di bestiame di Montelusa che settimanalmente si recavano a Palermo per affari.

Egli me ne ha fatto persino i nomi: Bonura Santo Giuseppe, La Rosa Evangelista Marco e Onofri Minimo.

Tra parentesi: da un controllo al casellario giudiziale da me fatto essi risultano avere qualche precedente di ben poco conto: il Bonura per offese, il La Rosa per diffamazione semplice e calunnia e infine l'Onofri per appropriazione indebita. Chiusa la parentesi.

Quando, dopo aver controllato i biglietti di tutti i viaggiatori, il Cacopardo è tornato indietro, ha notato come i tre mercanti e il giovane negro erano impegnati in un gioco di carte, un gioco d'azzardo che si chiama in gergo «sfilapipi» e che, se si stabilisce una posta alta, può far perdere o vincere, in appena un'ora, somme assai rilevanti.

Per dirle: a Vigàta, l'anno scorso, è corsa voce che, giocando proprio a sfilapipi, il medico condotto, dottor Borselli Erasmo, avesse perso ben trentamila lire in appena tre ore di gioco!

In conclusione, il Cacopardo, che risulta persona attendibile anche se un poco chiacchierato (è fissato d'essere un grande scrittore e consuma il suo stipendio pubblicando romanzi a sue spese), contraddiceva nel modo più assoluto la rocambolesca versione fornita dal Principe al Direttore della Scuola Mineraria. A questo punto ho ritenuto opportuno recarmi a Palermo per parlare col Direttore del Convitto Nazionale.

Il Direttore non era in sede, ma quanto ho appreso dal segretario amministrativo, Ferroni rag. Giovanni, mi è bastato.

Quando, nel 1927, il Principe Grhane Sollassié arrivò nel Convitto, era vestito come un povero straccione. Ma siccome ai convittori è fatto l'obbligo d'indossare sempre la divisa del Convitto, non si presentò il problema di invitarlo a comprarsi degli abiti decenti.

Al segretario perveniva, da parte della Corte Etiopica, la somma di seimila lire semestrali, pari quindi a mille lire mensili, che egli doveva tenere a disposizione del convittore etiope.

Al momento di lasciare il Convitto per venire a Vigàta, al giovane, contro la restituzione della divisa, vennero ridati i vestiti che indossava al suo arrivo.

E inoltre il segretario Ferroni gli consegnò (e me ne mostrò la regolare ricevuta), tutta in denaro liquido, la rimanenza dell'accredito semestrale pari a lire ottocentotre.

Vale a dire la stessa precisa cifra che l'etiope asserisce essergli stata rubata col portafoglio.

È dunque mia opinione che i logori vestiti indossati da lui all'arrivo a Vigàta erano gli stessi coi quali era giunto a Palermo e che le ottocentotre lire non gli sono state rubate, ma le ha perse giocando a sfilapipi con i tre mercanti di bestiame.

Potrei ottenere ulteriori conferme interrogando i suddetti mercanti dei quali conosco nomi e indirizzi, ma credo che, allo stato delle cose, sarebbero tempo e denaro sprecati.

Che fare, signor Questore?

Denunziarlo per simulazione di reato?

Vuole che lo convochi e gli faccia un lisciebusso?

Oppure facciamo finta di niente?

In coscienza, non credo che questo giovane sia un delinquente. Penso che sia un ragazzo irresponsabile; magari in Etiopia, trattandosi del nipote del Negus, gliele facevano passare tutte e l'hanno educato male.

Ci sarebbe però una possibile soluzione che le sottopongo con le dovute cautele.

Potrei arrestare due vagabondi morti di fame e incolparli del furto.

Così lei potrebbe dare notizia dell'arresto dei rei confessi al Segretario Federale che, sia pure deluso che non si sia trattato di un complotto comunista, dovrà ad ogni modo dichiararsi soddisfatto.

Gli potrebbe anche dire che purtroppo le valigie sono state rivendute dai due a un merciaiolo ambulante per pochi spiccioli. E che nelle loro tasche sono state rinvenute solo lire tre delle ottocentotre che erano contenute nel portafoglio, anch'esso non ritrovato.

Insomma, con la modica spesa di tre lire saremmo fuori dai guai. E ne trarrebbero giovamento anche i due vagabondi che, dopo aver mangiato e bevuto a sazietà per una decina di giorni, rimetterei in libertà senza nessuna accusa a loro carico.

Ad ogni modo, mi dica lei.

Rispettosi saluti

IL COMMISSARIO DI P. S. DI VIGÀTA
(Giacomo Spera)

REGIO MINISTERO DEGLI ESTERI
IL MINISTRO

Prot. n. 234/714/B
Oggetto: *Ppe Grhane Sollassié*

A S. E. Felice Matarazzo
Prefetto di
Montelusa

Roma, 5 ottobre 1929

Eccellenza!

Il Capo del Governo, S. E. Benito Mussolini, ha appreso con viva soddisfazione, da un rapporto inviatogli dal Segretario Federale di Montelusa, che, in occasione della riapertura dell'anno scolastico nella Regia Scuola Mineraria di Vigàta, un giovane allievo etiope, il Principe Grhane Sollassié Mbssa, nipote del Negus Ailé Sellassié, Imperatore d'Etiopia, pur non essendo iscritto al Partito Nazionale Fascista, ha voluto rendere un grazioso omaggio alla Nazione ospitante indossando per l'occasione la Divisa Fascista.

Tale gesto, ripeto sommamente apprezzato dal Duce, ha fatto balenare alla sua Lungimiranza e Acutezza politiche la possibilità di volgere ancor più la sensibilità dimostrata dal giovane Principe verso un maggiore e concreto interessamento intorno a una questione di delicatissima rilevanza internazionale.

Come Vostra Eccellenza sa, dopo la cessione a noi dell'Oltregiuba da parte della Gran Bretagna, di necessità il vecchio protettorato italiano su Obbia e Migiurtinia non poteva che aspirare a trasformarsi nel dominio diretto della Somalia. A raggiungere questa meta ha provveduto il Governatore, S. E. De Vecchi di Val Cismon, Quadrumviro della Rivoluzione, con le azioni belliche da lui brillantemente portate a termine.

Ma è rimasto ancora aperto l'annoso contenzioso con l'Etiopia per la definizione esatta dei confini, il che porta a frequenti scaramucce e a uno stato di totale disagio nelle popolazioni di frontiera.

S. E. il Capo del Governo pensa pertanto che questo giovane possa fungere da ottimo tramite con il Negus al fine di pervenire a una pacifica, concorde e definitiva sistemazione dei predetti confini. A tale scopo Egli si raccomanda che il giovane Principe venga introdotto negli ambienti più noti in città per il loro fervore Fascista, sicché possa constatare de visu i positivi valori di umanità della Rivoluzione Fascista e nel contempo possa rendersi conto della indomabile forza guerriera che è insita nello Spirito Fascista.

Egli inoltre auspica che siano soddisfatti, nei limiti del possibile, tutti i suoi desiderata sì che si confermi nell'innata magnanimità della gens romana dalla quale ci onoriamo di discendere.

Certo che l'Eccellenza vostra saprà ben agire,

Saluto al Duce!

PER IL MINISTRO
il Capo di Gabinetto
Corrado Perciavalle

Il giornale dell'Isola

Direttore Angelo Bianco   Palermo, 9 ottobre 1929

BRILLANTE OPERAZIONE DELLA POLIZIA

Vigàta – Una brillante operazione di polizia è stata portata a termine dal Commissariato di P. S. di Vigàta guidato dal dott. Giacomo Spera. Venuto a conoscenza, sia pure con molto ritardo, che il giovane Principe etiope Grhane Sollassié, del quale abbiamo già avuto modo di parlare, durante un viaggio in treno Palermo-Vigàta, era stato derubato di due pesanti valigie e del portafoglio, il commissario Spera si metteva subito all'opera per rintracciare i malfattori. Le sue indagini sono state coronate da successo: infatti ieri ha proceduto all'arresto di due loschi individui, Filippo Pirotta di anni 60 e Michele Cocco di anni 58, che hanno confessato di essere gli autori del furto. Purtroppo non è stato possibile recuperare la refurtiva e solo una parte della somma contenuta nel portafoglio è stata riconsegnata al legittimo proprietario (*B. V.*).

Al Signor Questore di Montelusa

Vigàta, 10 ottobre 1929

Sono il Brigadiere di Pubblica Sicurezza Testa Gerlando in forza presso il Regio Commissariato di Vigàta.

Vengo a contarle la disgrazia che mi capitò per avere obbedito con scrupolo agli ordini del Commissario Spera il quale ora si nega di fare il dovere suo e mi lascia, rispetto parlando, nella merda.

Vengo al fatto.

Addì 18 settembre c.a. il sottoscritto si recava, come da ordini ricevuti, con l'agente Pedullà Bartolomeo, che mi può fare il testimonio, presso la locale stazione ferroviaria di costà onde aspettare l'arrivo da Palermo del Principe Gibune Sollassie il quale arrivava ma appena arrivato non andava nella pensione «Patria» indove che era aspettato ma s'appreciptava come un addannato nel locale casino (bordello) allocato in via Risorgimento di costà la cui tenutaria chiamasi Vitello Filippa intesa donna Jole.

Giunto in loco, il Principe consumava per tre ore con tre prostitute diverse per un totale di sei marchette di

95

mezz'ora ciascheduna che vengono a fare in tutto Lire 18.

Al momento del pagamento suddetto, il Principe soste-neva di non possedere manco una lira, al che il sottoscrit-to pagava lui al posto suo onde evitare casino e si faceva rilasciare dalla tenutaria regolare ricevuta che così faceva:

Ricevo dal brigadiere Testa Gerlando Lire 18 per sei mar-chette di mezz'ora firmato donna Jole.

Vengo al fatto.

Senonché il dottor Spera, avendogli il sottoscritto esi-bitagli detta ricevuta onde presentarla debitamente contro-firmata per il dovuto rimborso, non solo rifiutavasi sgher-zandoci sopra, ma tre giorni appresso, tornato il sottoscrit-to secolui a parlargli per detto rimborso rideva e offende-vami chiamandomi Testa di… di nome e di fatto.

Senonché tre giorni passati la mia signora, Anselmo Rosa, avento scoperta nella tasca della mia giacchetta la suddetta ricevuta scatenava un catunio davanti ai miei fi-gli, Matteo di anni 14 e Rosolina di anni 13, chiamanto-mi puttaniere e casinaro che ci persi la faccia che le vo-ciate che lei faceva le sentirono macari i vicini di casa.

In vano il sottoscritto cercava di spiegare la cosa, cioè che non era stato lui a fottere nel casino per tre ore, ma lei a ogni mia parola di più s'incaniava fino a quando mi sbatté fora di casa cosicché il sottoscritto è costretto a dor-mire in commissariato.

Vengo perciò a domandare a Lei onde voglia rimborsar-mi onde io possa ammostrare detto rimborso a mia moglie e chiarire come e qualmente il sottoscritto agì per servizio.

In fede

Brigadiere TESTA GERLANDO

Alla Gentile Signorina
Agatina Locascio
Via Francesco Crispi, 12
Palermo

Vigàta, 10 ottobre 1929

    Agatina mia amica del cuore,
    dato che purtroppo dovrai ancora trattenerti a Palermo, ti scrivo in breve le ultime novità.
    Col mio amato mi incontro regolarmente almeno due volte a settimana, dato che per nostra fortuna le condizioni di salute di zia Carolina sono molto peggiorate e papà si sente rassicurato se vado a trovarla.
    Lo so che tu ti sorprenderai delle parole che ti ho appena scritte e le troverai di un egoismo estremo, ma, come si dice, mors tua vita mea.
    Perché Grhane è diventato la mia vita.
    E io sento che lo stesso è per lui.
    Ormai non possiamo più vivere lontani l'uno dall'altra, abbiamo bisogno d'abbracciarci e di baciarci senza sosta.
    E nemmeno i baci ci bastano più!

Sentiamo che dobbiamo appartenerci compiutamente.

Ma come fare?

Il mio amore ha pensato a una soluzione che, sulle prime, m'è parsa del tutto folle.

Poi, riflettendoci, mi sono persuasa che si può fare.

Basterà pazientare ancora un mesetto e poi potremo vivere nella perfetta felicità!

Spero di rivederti presto.

Ti bacia la tua

Ninetta

MINISTERO DELL'INTERNO
DIREZIONE GENERALE DELLA PUBBLICA SICUREZZA

Ordine di servizio 332/789/D/HF

URGENTISSIMO

Con effetto immediato il Brigadiere di P. S. TESTA Gerlando in servizio presso il Regio Commissariato di P. S. di Vigàta (Montelusa) viene trasferito presso il Regio Commissariato di P. S. di PIZZONI (Vibo Valentia-Calabria).

per il DIRETTORE GENERALE
il VICEDIRETTORE GENERALE
Michele Fortis

Frammenti di parlate 2

VIGÀTA – REGIA SCUOLA MINERARIA
29/10/1929, ORE 12

– C'è permesso, Direttore?
– Avanti, avanti, dottore. Allora che mi dice? Sulle spine sono!
– Beh, l'ho visitato e...
– Come lo trovò? Maria, quanto m'appreoccupai! Mentre che stava addritta nel banco per rispondere all'interrogazione del professore Agrò, l'hanno visto prima cominciare a cimiare avanti e narrè e po' cadiri 'n terra come un sacco vacante! Sbinuto! Sbinuto, un picciotto di quella stazza! Come lo trovò, ah?
– Così, a prima vista... non so che dire. Gli era capitato altre volte?
– A scuola mai!
– E non aveva dato segni di star male?
– Male, no. Ma proprio due giorni passati il professore Manzella mi era venuto a dire che da una simanata il Principe era svogliato e spesso come assente.
– Mi levi una curiosità.
– Mi dica.

– Il Principe è già sceso in miniera?

– Certo. È la prima cosa che facciamo fare agli allievi del primo corso. È una speci di prova. M'è capitato, da quando sono Direttore io, che due o tre allievi hanno abbandonato. Dopo un'orata che stavano sotto, accomenzavano a sentirsi male, ci ammancava l'aria…

– Claustrofobia. E il Principe come ha reagito?

– Benissimo. Non ha dato nessun segno di…

– Quindi possiamo escludere che si tratti di una reazione alla discesa in miniera?

– Certo. Ma allora che può essere stato?

– Oddio, la causa vicina dello svenimento è chiara.

– E qual è?

– È da tre giorni che non tocca cibo.

– Davero?!

– Me l'ha detto lui stesso, il Principe.

– Matre santa! E pirchì non mangia? Forse che non gli piace come cucinano alla mensa?

– No. Non ne ha gana. Soffre di disappetenza. Quindi bisognerebbe capire da cosa dipende questa disappetenza.

– E come si fa a capire?

– Vuole sentire il mio consiglio?

– Certo, dottore.

– Data l'importanza del picciotto, la meglio sarebbe di farlo ricoverare subito allo spitale che lì ci può pinsare un luminare come il professore Galatina.

– D'accordo. Ma io, per il sì o per il no, avverto subito il Federale.

– E fa bene.

MONTELUSA – OSPEDALE SANT'ANNA
30/10/1929, ORE 11

– Pronto? Pronto? Sono il Federale Caccialupi. Parlo col Direttore dell'Ospedale Sant'Anna?

– Signorsì. Agli ordini, Federale!

– Camerata, so che stamane è stato ricoverato presso di voi il Principe Grhane Sollassié. Come l'avete sistemato?

– In camerata, camerata.

– In camerata?! Ordino che venga subito messo in una stanza singola!

– Non ce ne sono in questo momento singole libere.

– Ah, no? E voi liberatele! Sbattete fuori uno a calci e ci mettete lui! Capito? È un ordine!

– Signorsì, Federale!

– Ce ne avete in ospedale infermiere formose?

– Non capii, scusatemi.

– Via, avete capito benissimo! Belle gambe, bei culi, belle...

– Ah, in quel senso? Beh, due ce ne sarebbero.

– Bene, che siano sempre loro a occuparsi del Principe.

– Vedrò quello che posso fare e...

– Voi dovete solo obbedire, non dovete vedere!

– Signorsì.

– Ogni mattina, un mazzo di fiori freschi.

– Signorsì.

– Le lenzuola cambiate tutti i giorni.

– Signorsì.

– Fategli avere qualsiasi cosa voglia, giornali, riviste, sigarette...

– Signorsì.

– Informatevi se usa prendere un caffè al risveglio, se sì, ogni mattina che gli sia portato da una delle due infermiere.

– Signorsì.

– E desidero che ad occuparsi di lui sia personalmente il professor Galatina che mi dicono esperto in malattie tropicali.

– Ma il picciotto niente ha! Soffre solo di disappetenza. E la disappetenza non è che è specialità tropicale.

– Vi mettete a discutere con me? Il Principe non è un etiope?

– Signorsì.

– E l'Etiopia non è un paese tropicale?

– Signorsì.

– Allora indubbiamente si tratta di disappetenza tropicale! Avete capito? Voglio Galatina!

– Va bene.

– E dite a Galatina che mi venga a trovare subito in Federazione non appena si sarà fatto un'idea.

– Glielo dirò.

– Ah, un'ultima cosa. Sono proibite le visite.

– A chi?

– Come, a chi? Non voglio che il Principe riceva persone mentre si trova in ospedale. Sono stato chiaro?

– Signorsì.

– Solo uno ha il permesso per andarlo a trovare. Pigliate nota: Argento Antonio, è il suo compagno di stanza nella pensione dove abita il Principe.

– Maria che vrigogna! Maria che vrigogna, signor Direttore! Morta, sugno! Cunsumata! Sdisonorata!

– Ma non fate accussì! Calmatevi, infermiera Spanò! Ma che fu tutto questo burdellu? Ma che successe? Pirchì il cappellano è sbinuto e voi siete in queste condizioni?

– Signor Direttore, 'stu negro il diavulo è! Dal profunno dello 'nfernu sinni acchianò!

– Il Principe?

– Sissignori! Lui!

– Ma volete contarmi le cose con calma?

– Posso aviri tanticchia d'acqua?

– Certo. Ecco qua. Vi sentite meglio? Parlate!

– Stamattina alle otto trasii nella càmmara del Principe e lo trovai addritta con le sole mutanne. Io gli dissi che se voleva stare susuto si doviva vistiri e lui m'arrispunnì che l'avrebbe fatto doppo che gli portavo il caffè. Io glielo annai a fare e quanno tornai lui era sempre in mutanne. Allura io chiuii la porta della càmmara per non farlo vidiri accussì da quelli che passavano e, mentre che lui si viviva il cafè, principiai a cangiargli le linzola. Tutto 'nzemmula, mentre che minni stavo calata supra al letto, me lo sentii alle spalle. Fici appena in tempo a girare la testa. Nudo completo era, signor Direttore! E armato era! Armatissimo!

– Aveva un coltello, un revorbaro?

– Signor Direttore, assai mi vrigogno! Mi capisse a mezza botta!

– Ah, ho capito. E doppo?

– E doppo, in un vidiri e svidiri, m'arritrovai stinnicchiata a panza sutta che mi aveva calato le mutanne! Maria che vrigogna!

– Accussì forte è ancora? Dopo cinque giorni che soffre di disappetenza?

– A quello ci disappete il mangiare, ma per altre cose havi pititto assà.

– Ma perché non avete fatto voci?

– Non potevo! La mano supra alla vucca mi teneva! Ce la muzzicai la mano, macari il sangue ci niscì, ma lui un serbaggio era, manco ci abbadò!

– E doppo?

– Aveva appena accomenzato che la porta si raprì e comparse patre Pirrotta, il cappellano.

– E che fece?

– Al vidiri la scena, chiuì l'occhi, assintomò e cadì 'n terra come un mazzo di cavuli.

– E lui?

– Lui? Lui continuò. Zum zum zum...

– Insomma, arrivò alla conclusione.

– Nonsi, alla conclusione, comu dici vossia, non ci arrivò pirchì trasì il dottor Panseca e gli dette una botta in testa con la guantera del cafè!

– Meno male. Mi raccomando, infermiera Spanò, di non contare a nisciuno quello che è capitato.

– Ma io alla collega Margarita, che è addetta con me al Principe, glielo ho già contato.

– E lei che ha detto?

– Che fa la 'nfirmera e no la buttana.

– Ha ragione. Da questo momento in poi del Principe si occuperanno due 'nfirmeri mascoli. In quanto a voi, infermiera...

– In quanto a me, mille lire.

– Non ho capito.

– Signor Direttore, io una fìmmina onesta sono! Specchiata! Se mè marito, che è giluso assà, lo veni a sapiri, finisce a schifìo! Mille lire è il minimo per l'offisa che ho avuto!

– Va bene, vedrò quello che posso fare.

MONTELUSA – OSPEDALE SANT'ANNA
1/11/1929, ORE 9,20

– Principe, ci fa male la testa? No? E la mano? No?
Tornai che voglio finire di conzarci il letto, come avevo accomenzato a fare. A mia non mi piace lassare a
mità le cose principiate. Facciamo 'na cosa svelta, che
non ci porta troppo distrubbo. Io chiuio la porta con
la chiave e vossia intanto scinni dal letto. Ecco, bravo, accussì.

MONTELUSA – CASA DEL FASCIO
3/11/1929, ORE 18

– Camerata professor Galatina, quali nuove dall'il-
lustre paziente?
– Federale, quello, in quanto a salute, se ne fotte di
voi e di me.
– Dite davvero? Volete scherzare?
– Federale, voi pensate che io abbia voglia di venire a coglionare con voi doppo una giornata che mi faccio un culo tanto all'ospedale?
– Camerata Galatina, siete impazzito? Come vi permettete di usare questo linguaggio con me?
– Uso questo linguaggio perché parlo accussì dalla
nascita. La prima parola che dissi non fu mamma, come tutti i picciliddri di questo mondo, ma cacca. Se
non vi va bene come parlo, me ne vado e vi mando
una lettera. Sempre che siate in condizioni di saper-
la leggere.
– Galatina, perdio! Io posso sbattervi al confino!
– E voi, subito il giorno appresso, state tranquillo che
mi venite a tenere compagnia.

112

– Ah, sì? Mi sfidate?

– Io non sfido un cazzo. Scriverò come sono andate le cose tra voi e me a Varbuzza.

– E chi è Varbuzza?

– Io lo chiamo accussì. Varbuzza sarebbe S. E. Balbo, Quadrumviro della Rivoluzione.

– Lo conoscete?

– Culo e camicia, siamo. Qualche volta, quando mi trovo dalle sue parti, andiamo a fìmmine insieme.

– Bene, bene, bene. Che bella giornata oggi! C'è un cielo che...

– Vogliamo tornare al dunque?

– Torniamoci.

– Dunque, come vi stavo dicendo, il Principe non ha niente, non è malato, anzi, per dirla tutta, sta benissimo.

– Allora perché non mangia?

– È una cosa che non dipende dal corpo, ma dalla testa o dal cuore, io non ho mai capito bene quale minchia di posto è quello indove nascono i sentimenti.

– A me hanno sempre detto il cuore.

– Cazzate. Io, per esempio, provo sentimenti tenerissimi verso una fìmmina solo doppo che l'ho...

– Ho capito.

– E di conseguenza, questo che viene a significare? Che il posto indove nascono i miei sentimenti è la...

– Ho capito, professore, ho capito. Allora, il nostro Principe?

– Non solo l'ho visitato, ma ci ho parlato a lungo e credo di essere riuscito a capire di cosa soffre.

113

– Che ha?

– È pigliato di malinconia.

– Ma come? Un giovane che mi dicono così sportivo, così atletico…

– Ma se ho appena finito di dirvi che il corpo non c'entra! La volete sapere una cosa? In ospedale ha cercato di fottersi un'infermiera. La quale, sia detto per inciso, ha un paio di…

– È successo uno scandalo?

– Ma no! Il Direttore è stato bravo.

– Allora da cosa nasce questa malinconia?

– Dalla lontananza.

– Ho capito. Nostalgia della sua terra?

– Che nostalgia vuole che abbia della sua terra di merda? Voi ci siete mai stato ad Addis Abeba? Io sì, ci feci una puntata quando stavo in Somalia. Quattro capanne di fango, tre negozi sul corso, niente bar, niente teatro, niente cinema, fìmmine che erano meglio le capre… Le somale, invece! Bellissime, slanciate, gambe che non finivano mai… Ancora me le sogno, la notte! Ce n'era una, che si chiamava Harima, che aveva una tecnica tutta particolare quando…

– Professore, scusatemi. Vogliamo tornare al Principe? Avete detto che la malinconia gli nasce dalla lontananza. Ma lontananza da che?

– Dalla famiglia. Pare molto attaccato alla famiglia, al padre, alla madre. Ha macari una sorellina di diciassette anni, quella gli manca molto. Mi ha pure detto che durante la manifestazione per la riapertura dell'anno scolastico, ha dovuto trattenere le lagrime.

– E perché?

– Non ho capito bene. Mi ha raccontato che durante quella manifestazione una picciotta ha letto una poesia di benvenuto, almeno così m'è parso di capire.

– Sì, io c'ero. E perché gli veniva da piangere?

– Perché il padre di quella ragazza, che era macari l'autore della poesia...

– Sì. Andate avanti.

– Beh, pare che questo signore sia molto somigliante a suo padre.

– Ma suo padre è un negro!

– E che minchia significa? Io, in Somalia, una volta vidi una vecchia che era una stampa e una figura con mia nonna!

– In conclusione, professore, cosa possiamo fare per lui?

– Un'idea ce l'avrei.

– Ditemela.

– Questo picciotto non ne può più di stare solo. È da tre anni che sta fora di casa. Secondo me, starebbe subito molto meglio se trovasse una famiglia che l'ospitasse non come pigionante, ma come uno di casa, dandogli tanticchia d'affetto, di calore... Insomma, che si pigliasse cura di lui come un quasi figlio. E accussì, a questo negro ci passa la disappetenza e noi ce lo leviamo dai cabasisi. Mi spiegai?

– Alla perfezione, professore.

MONTELUSA – CASA DEL FASCIO
5/11/1929, ORE 16

– Giovane Fascista Argento Antonio a rapporto, Federale!

– Riposo. Argento, che mi dite?

– Che vi devo dire, Federale? Duro è.

– Non vuole scriverla?

– Non è che non vuole, piglia tempo.

– Argento, il tempo stringe. Proprio stamattina ho ricevuto una lettera di sollecito dal Ministero. Mi dicono che il Duce è impaziente e preme. E noi che facciamo, Argento, lo lasciamo premere?

– Macari io premo su Grhane, Federale.

– E io premo su di voi. Qua stiamo tutti a premere l'uno sull'altro senza ottenere un cazzo. Sono deluso, molto deluso di voi, Argento!

– Federale, volete che io apro il balcone e mi catafotto di sotto gridando viva il Duce? Sono pronto a farlo. Ma che ci posso fare se quel cornuto la lettera non si decide a scriverla? Io non passa giorno che non gliela ricordo, ma lui...

116

– Perché parlate di lettera, Argento? Non c'è bisogno di una lettera. Al Duce basta un bigliettino che dica suppergiù «Caro zio Negus, in Italia mi trovo benissimo, tutto funziona alla perfezione, scuole, ospedali, gli italiani sono gente meravigliosa, ricchi e generosi, sempre pronti a dare senza nulla chiedere in cambio e sono molto amici di noi etiopi». Ecco, una cosa così. Non gli dovete mica chiedere di scrivere la Divina Commedia!

– Lo so, Federale, ma lui...

– Argento, vi è stato dato, dal partito, un compito delicatissimo che voi avreste potuto svolgere con estrema facilità dato che siete l'unico amico che il Principe abbia qui. Allora vi domando e vi ordino di rispondere con romana e fascista franchezza. Qual è il punto debole del Principe?

– Due.

– Che significa due?

– I punti deboli. Due sono. Anzi, prima erano due, ora sono tre.

– Ditemeli.

– Le fìmmine è il primo punto.

– E voi procurateglele!

– Non ha bisogno di mia, Federale. Oramà è un cliente abituale e quasi giornaliero del casino di donna Jole.

– E voi l'accompagnate?

– Non sempre, Federale.

– Fate male, Argento, fate malissimo! La virilità di un fascista non può e non deve essere inferiore a quella di nessun altro! E tanto meno di un negro! Vi ordino di andare quotidianamente al casino, Argento!

– Signorsì.

– Riposo. Ditemi il secondo punto debole.

– I soldi, Federale.

– Cioè?

– Non gli abbastano mai.

– Ma quanto gli passa il Banco di Sicilia?

– Mille lire al mese.

– E come se li spende?

– Accatta scarpe, vestiti, cappotti, cammise… Veste caro, Federale. Va a cavallo e si è accattato una sella personale e il vestito adatto. Ora gli sta venendo la fissa della scherma. E poi ha il vizio del gioco. Gioca e perde. Perde sempre.

– Vi ha chiesto soldi in prestito?

– A me e a tutti. Ha debiti coi compagni di classe, con la padrona della pensione, con due professori, con…

– Ennò! Questa storia deve finire! Quanto riesce a racimolare con questi prestiti?

– Non meno di sei-settecento lire al mese.

– Quindi se voi, Argento, e solo voi, potreste prestargli questa cifra, lui non avrebbe bisogno di chiedere agli altri?

– Penso di no.

– Bene. Allora, da oggi in poi, i soldi glieli darete voi.

– Io? Io non ce li ho, Federale.

– Ve li daremo noi. Quando andate via, dite al segretario amministrativo di venire da me. Confido nel-

118

la vostra onestà fascista, Argento. Fate in modo che saldi tutti i suoi debiti.

– Sarà fatto, Federale.

– E qual è il terzo punto?

– L'ho scoperto da pochi giorni. Ha molta nostalgia della sua famiglia. Il giorno prima di andare in ospedale che passiavamo insieme nel corso, tutto 'nzemmula è scoppiato a piangere in mezzo alla gente.

– E perché?

– Avevamo appena incontrato a Gaetano Prestifilippo, il poeta. Dice che è tutto preciso a suo padre.

– La conosco questa storia. Potete andare, Argento. E ricordatevi che al massimo entro una decina di giorni quel biglietto per il Negus deve partire. Saluto al Duce!

– A noi!

MONTELUSA – CASA DEL FASCIO
8/11/1929, ORE 11,30

– Camerata Pulvirenti, avete eseguito i miei ordini?

– Fulmineo fui, Federale! Ho chiamato il Prestifilippo Gaetano e...

– Che fa?

– Chi?

– Sveglia, Pulvirenti! Un vero fascista è sempre pronto e scattante! Dove lavora questo Prestifilippo?

– Impiegato mio è in quanto impiegato del Comune come addetto aggiunto all'ufficio anagrafe. E perciò, in quanto che sono il Podestà...

– Va bene, ho capito. E che ha detto?

– Beh, in principio manifestò qualche dubbio.

– Riguardo a cosa?

– Riguardo alla poesia, Federale.

– Alla poesia? Che c'entra la poesia? Spiegatevi, perdio!

– Beh, diceva che la presenza di uno straneo in casa gli poteva portare distrazione per le poesie che scrive.

– Me ne fotto delle sue poesie! Che sono le sue poe-

120

sie davanti all'interesse della Nazione? Ci penso io a metterlo in riga!

– Beh, non era solo per quello.

– Che altro c'era?

– La figlia Antonietta che ha diciassette anni.

– Embè?

– Dice che la gente si metterebbe a sparlare, dato che il Principe è un picciotto di diciannove anni... Sotto lo stesso tetto...

– L'avete rassicurato sull'assoluta correttezza del Principe?

– E come no? Ma lui...

– Resisteva?

– Signorsì.

– Ma siete riuscito infine a convincerlo?

– Signorsì.

– Come avete fatto?

– Gli ho detto che in caso di negativa l'avrei riferito a voi e che voi gli avreste levato la tessera del Partito e lui ci avrebbe perso il posto.

– Pulvirenti, siete un emerito coglione!

– E pirchì?

– Perché così ci mettete in cattiva luce, ci fate passare per prepotenti!

– Ma lei...

– Voi.

– Ma voi, la tessera, gliela avreste levata?

– Certamente. Ma c'è modo e modo di presentare le cose. Va bene, ormai è fatta. Allora faccio sapere al Principe che può trasferirsi in casa di Prestifilippo?

– Signorsì.

– Avete parlato della retta?

– Quale retta?

– Come, quale retta? Quella che gli deve essere corrisposta per l'ospitalità data al Principe.

– Federale, ma io l'ho convinto a pigliarselo gratis!

– Eh, no! Non ci siamo proprio, Pulvirenti! A Prestifilippo deve essere corrisposta la stessa retta che veniva data alla pensione!

– Ma Federale, io volevo fare sparagnare quei soldi al Comune. Perché, come voi sapete, i soldi di rimborso, bene che vada, ci torneranno fra tre anni! E intanto sono io personalmente che anticipo dato che il Comune non ha una lira.

– Ah, sì? Il Comune non ha una lira? Lo so io perché il Comune non ha una lira! Non fatemi parlare, Pulvirenti! Il Prefetto mi ha detto di voi certe cose che…

– Tutte calunnie, Federale! Mi vogliono consumare! Arrovinare!

– Il Prefetto è un perfetto Fascista e un perfetto prefetto Fascista non sparge calunnie! Dice sempre la verità! Romanamente! Badate a voi, Pulvirenti!

– Agli ordini, scusatemi.

– Ordino che la retta mensile da dare a Prestifilippo sia di cinquecento lire!

– Federale, voi volete rovinarmi! Mi volete gettare sul lastrico! Vogliamo fare quattrocento?

– Vada per quattrocento. Non una lira in meno. Saluto al Duce!

– A noi!

VIGÀTA – REGIA SCUOLA MINERARIA
9/11/1929, ORE 13

– C'è permesso, Direttore?

– Avanti, caro Lanzillotta. Come andò oggi la lezione?

– Tutto sommato, bene.

– Che significa tutto sommato?

– Che la lezione in sé è andata bene, ma c'è una cosa che… Stamattina tornò a scuola l'allievo Sollassié.

– Ah, sì? Come sta il picciotto?

– All'apparenza, bene. Ho visto che nell'intervallo si mangiava un panino col cacio.

– Quindi la disappetenza gli passò.

– Evidentemente.

– Mi dicevate?

– Dunque, il tavolo occupato da Sollassié è il secondo da sinistra e il suo compagno è stato sempre Attardi Salvatore.

– Beh, sì, lo so. Sono venuto tante volte in classe!

– Lo dicevo per farvi memoria. Bene, Sollassié è arrivato quando già i suoi compagni c'erano tutti e io sta-

123

vo per cominciare. Attardi, appena l'ha visto entrare, si è alzato e al posto suo è andato a sedersi, portandosi appresso libri e quaderni, l'allievo Müller. Attardi intanto si sedeva dove c'era prima Müller.

– Hanno evidentemente voluto cambiare posto. Succede. Che c'è di tanto strammo?

– Signor Direttore, lei due giorni dopo che la scuola si è riaperta, ha adunato tutti noi, professori del primo corso, per dirci che il giorno appresso avrebbe espulso l'allievo Arzigò per grave indisciplina e che perciò dovevamo stare attenti alle reazioni di Rainer Müller.

– Ricordo perfettamente. E con ciò?

– Quando però Arzigò venne espulso, Müller non batté ciglio.

– Meglio accussì.

– Da un lato è stato meglio, dall'altro no.

– Non capisco dove volete andare a parare.

– Vengo e mi spiego. Müller non reagì perché era già perso per Sollassié.

– Oddio santo, che mi dite?

– Proprio accussì, Direttore. E il fatto che oggi Müller abbia voluto cangiare di posto per stare più vicino a Sollassié ne è la prova.

– O matre santa! Chi camurrìa, 'stu tedesco!

– Le dirò di più. Per tutta la lezione ho tenuto d'occhio Müller. Mi sono addunato che, sotto il tavolo, la sua coscia mancina stava incollata a quella destra di Sollassié e ogni tanto la sua mano sopra a quella dell'altro.

– E Sollassié come ha reagito?

– Lo lasciava fare.

– Forse non ha capito. Questi negri sono ingenui, come i picciliddri.

– Direttore, secondo mia, quello ha capito benissimo.

– Ma se mi è stato riferito che va continuamente a puttane!

– Signor Direttore, io a Sollassié gli ho prestato duecento lire.

– Che c'entra?

– C'entra, perché Sollassié ha sempre bisogno di soldi e Müller soldi ne ha. Sono sicuro che il cangio di posto l'ha ottenuto pagando bene Attardi.

– Dio mio! Non ci voleva proprio 'sta complicazione! Che possiamo fare, Lanzillotta?

– Per il momento, niente. Lo dica macari agli altri professori. Che stiano attenti a come evolve la situazione.

– E se evolve male? E se quello piglia e s'impicca un'altra volta?

– Pippì.

– Ah… Eh…

– Pippì.

– Che c'è, Carmelì? Ancora non dormi?

– Non arrinescio a pigliare sonno.

– E dato che non arrinesci a pigliare sonno, arrisbigli a mia?

– Scusa, scusa.

– Pippì.

– Bih, chi granni e grannissima camurrìa! Mi fai dormiri o no?

– Pippì, tu la matina sduni da casa alle sett'albe, quanno torni è scuro, quanno mangiamo c'è prisenti nostra figlia Michilina, quanno ti corchi t'addrummisci subito e io quanno ti parlo a sulo?

– Vabbè, parla. Ma 'na cosa brevi.

– Stamattina si maritò Lillina Pusateri.

– E che me ne fotte a mia?

– Non parlare come un carritteri. Stammi a sintiri. Michilina nostra figlia, quanno tornò dal matrimonio, non fici altro che chiangiri.

– E pirchì?

– Michilina aveva tre amiche, Sara, Filippa e Lillina. E, ora che macari Lillina si maritò, tutte e tre le amiche hanno un marito. E Michilina, mischina, inveci non arrinesci a trovare manco uno zito.

– E che ci posso fare io?

– Pippì, io me lo sento 'nni lu mè cori!

– Che ti senti?

– E il cori di una matre difficile ca si sbaglia!

– Vabbè, che senti?

– Che se 'u negru e Michilina s'arrivano a canusciri, è fatta.

– Ma possibile che a cinquant'anni raggiuni ancora come 'na picciliddra? Ma pirchì ti sei amminchiata cu 'stu negru?

– Non dire parolazze! Pirchì sentu che sarebbe il marito che ci vole per Michilina.

– Ma ne hai parlato con lei?

– Sissignura.

– E che dice? Non le fa impressione un negru?

– Dice che, al punto in cui è arrivata, non le farebbe 'mpressione manco un cinìsi. Havi abbisogno di un omo, Michilina, vintinovi anni havi!

– Ecco, appunto. E il Principe ne havi diciannovi. Deci anni di differenza. Ma come fai a pinsari che quello si marita con una picciotta laiduzza, scarsa, e di dieci anni cchiù granni di lui?

– Pippì, tutto è possibile. Il barone Persicò non si è pigliato pi mogliere 'na nana sciancata, figlia di un muratore?

– Certo. Ma la figlia del muratore non è accussì pazza comu a Michilina!

– Ma pirchì dici che è pazza?

– Ma non lo senti che ci nesci dalla vucca? «La verginità non è una virtù!». Opuro: «La donna in amore dev'essere libera come l'uomo!». Non sunno cose da pazzi?

– Pippì, questa non è pazzia, ma raggiunare moderno. Significa…

– … voliri addivintare buttane!

– Non dire parolazze! A mia mi vinni di fari 'na pinsata.

– Dicimilla, 'sta pinsata, basta che doppo mi fai dormiri.

– Per le feste di Natale che fa?

– Cu?

– Comu, cu? 'U Principi!

– Che minchia ne saccio che fa!

– Ti dissi di non diri parolazze! Voliva diri: per le feste di Natale sinni torna in Bissinia?

– Arrè! E chinni saccio?

– Ma tu, comu segretario della scola, dovresti sapirlo.

– Ma a tia che tinni importa che fa a Natale?

– Dato che è fora di casa e luntano di la sò famiglia, potrebbe passare Natale qua con noi.

– Va bene, va bene, m'informo. E ora lassami dormiri.

– Pronto? Camerata Federale Caccialupi?

– Sì?

– Vi passo il Segretario Nazionale del Partito.

– ...

– Pronto? Caccialupi?

– Ai vostri ordini, Eccellenza!

– Camerata, saluto al Duce!

– A noi!

– Vi comunico che ieri sono stato ricevuto a Palazzo Venezia dal Duce per il rapporto settimanale. Al termine del rapporto, mi ha domandato chi era il Segretario Federale di Montelusa e io gli ho risposto che eravate voi, Caccialupi. E lui ha sorriso, si è ricordato di voi. Mi ha chiesto: non è quel perugino coi capelli rossi?

– Oddio! Perdonate, Eccellenza, ma io... Oddio, mi sento male! Il Duce si ricorda di me! Sto svenendo! Un attimo solo, Eccellenza...

– Caccialupi! Siate forte come il vero Fascista che siete! Il Duce si ricorda di tutti i suoi uomini meglio di quanto faceva Napoleone! Siete pronto a seguirmi con attenzione?

– Signorsì.

– Bene. Lui stesso in persona mi ha ordinato di telefonarvi. Ai primi di gennaio dell'anno venturo due Ras abissini, Mulughetà e Mangascià, avranno l'onore, dietro loro richiesta, di essere ricevuti da Sua Eccellenza Benito Mussolini. Ebbene, il Duce si chiedeva se non sarebbe stato il caso d'invitare all'incontro anche quel giovane Principe etiope che non ricordo più come si chiama...

– Grhane Sollassié Mbssa, Eccellenza.

– Lui. Il Duce pensa, nella sua illuminata lungimiranza politica, che la presenza del Principe, il quale sta avendo modo di farsi un alto concetto della nostra civiltà Fascista, possa positivamente influire sui colloqui che il Duce avrà coi due Ras per la pacifica definizione dei confini con la Somalia. Sono stato chiaro?

– Chiarissimo, Eccellenza.

– Quindi la direttrice di marcia tracciata dal Duce sarebbe come una freccia a due punte. Punta prima: lettera del Principe allo zio Negus. A proposito, a che punta... a che punto siamo con questa lettera?

– Il Principe tergiversa.

– Ma perché? Non si trova bene tra noi?

– Non è per questo, Eccellenza.

– E allora perché? Gli fate mancare qualcosa?

– Niente. Siamo pronti a offrirgli anche una che faccia la danza del ventre!

– E allora?

– Credo di avere trovato il modo di convincerlo.

– Datevi da fare, camerata Caccialupi. Vi ricordo che il tempo stringe! E se alla fine stringe senza trovarsi tra le mani la lettera, al suo posto troverà il vostro collo, Caccialupi! Dove ero rimasto?

– Alla seconda punta, Eccellenza.

– Ecco. La punta seconda sarebbe questa venuta del Principe a Roma. Attivatevi subito.

– Signorsì.

– Informatevi se il Principe è d'accordo a venire a Roma ai primi di gennaio. Tutto pagato, naturalmente.

– Signorsì.

– Scattate, camerata!

– Signorsì.

– Saluto al Duce!

– A noi!

VIGÀTA – STAZIONE FERROVIARIA
12/11/1929, ORE 17

– Agatina!

– Ninetta! Che bello che sei venuta a pigliarmi alla stazione! E mia madre non è venuta?

– No, le ho detto che venivo io. Dammi una valigia.

– Ma lo sai che ti trovo un fiore?

– Manco tu scherzi. Quasi quasi non ti ci presento, a Grhanuzzo mio. Non vorrei che…

– Ma che dici?

– Scherzo. Lo so che di te mi posso fidare. Sono venuta perché non resisto a contarti una cosa. Cocchiere? Libero? Pigliate i bagagli. Acchiana, Agatì.

– Allora, qual è la novità?

– Aspetta che partiamo, non voglio che il cocchiere mi sente. Come sta tuo padre?

– Molto meglio. Ma giovedì devo tornare a Palermo. Ecco, siamo partiti. Allora?

– Da domani Grhanuzzo mio viene ad abitare a casa mia!

– O madunnuzza beddra! Vi siete maritati?

– Macari! Ancora no, purtroppo!

– Allura come ha fatto?

– Non te lo scrissi che aveva un piano?

– Sì, ma come ha fatto?

– Dunque, prima ha accomenzato a non mangiare, doppo ha detto che soffriva di malinconia pirchì...

Carpetta n. 3

Capitolo 6

Al Segretario Federale
Arnaldo Caccialupi
Federazione Provinciale Fascista di
Montelusa

Vigàta, 18 novembre 1929

Camerata Federale,

purtroppo, non posso obbedire alla vostra convocazione in quanto che un cane, tagliatomi la strada mentre che io correvo in testa al manipolo di giovani Fascisti da me comantato nell'ultima adunata del Sabato Fascista, mi faceva malamente cadere a terra, e riportanto una distorzione alla gamba sinistra.

Piglio l'occasione per segnalarvi che detto cane, di subito riconosciuto da tutti i presenti, appartiene a tale Mangiavillano Prospero, noto per i suoi sentimenti antifascisti, che trovavasi seduto a un lato della strada in un tavolino del cafè Castiglione mentre il suo cane trovavasi nel marciapiede opposto. Sospetto che il Mangiavillano, vedendomi arrivare, ha fischiato al cane chiamantolo sicché quello, per raggiungerlo, ha traversato la strada facentomi cadere.

Non si possono pigliare provvedimenti contro di lui?

Vi faccio rapporto della complicata situazione con Grhane Sollassié che non è per niente facile.

Per quello che riguarda il biglietto allo zio Negus, devo dire che il trasferimento in casa Prestifilippo gli ha portato giovamento assai anche se è da pochissimi giorni che si trova lì, egli infatti ora m'apare sempre di buon umore e più assai socievole di prima quando che se ne stava nella pensione.

Si lamenta solo che nella casa di Gaetano Prestifilippo non ci sia la sua molie in quanto che la signora è morta cinque anni passati e il Prestifilippo, restato vedovo, non si è più voluto rimaritare facentosi fare i servivi casaligni da una serva e dalla figlia Antonietta.

Grhane dice che se in quella casa c'era una donna che poteva fargli da matre sarebbe stato più contento assai.

Comunque, egli avrebbe accettato di scrivere un biglietino al Negus di questo tipo:

«Caro zio, in Italia mi trovo bene, gli italiani sono buoni e generosi e le donne italiane lo sono di più. Tuo affezzionato nipote Grhane».

Se questo basta, lui lo scrive e lo manta.

Ma prima c'è una cosa che non me l'aspetavo e per questo non ve ne ho parlato prima.

La cosa è che lui, per scrivere il biglietto così com'è, vuole cinquemila lire non trattabili.

Se invece lo volete più lungo e circostanziato, allora lui dice prezzo a convenirsi per ogni parola in più.

Circa in quanto al viaggio a Roma, di cui io subbito gliene parlai appena che ne ebbi l'Ordine, lui mi dice che non se ne deve parlare manco per sgherzo.

Aventogli io domantato spiegazione, egli mi ha risposto che non può proprio per una questione di rango, in quanto che lui è Principe Imperiale e i due Ras sono semplicemente due capitribù come sono tanti che non sono manco di nascita nobile.

Inoltre a quanto che ho capito, la sua famiglia da qualche secolo è in guerra con la famiglia di Ras Mangascià, e la tradizione vuole che appena lui vede uno della famiglia Mangascià si deve soffiare rumorosamente il naso e poi sputare per terra, che viene a significare che lo sfida a duello alla scimitarra fino a che uno dei due non resta morto.

Egli comunque consiglia al Duce di non avere niente a che fare con il detto Ras Mangascià che lui definisce uomo infimo come un serpente, mangiatore di morti come una jena, scaltro come una volpe e falso come un miraggio nel deserto.

Egli consigliu al Duce di fare sì che al posto di questo Ras venga mandato in Italia o Ras Sejum o Ras Immirù che sono persone che lui giura e spergiura essere persone molto serie e sempre abbituate a rispettare la parola data.

Nel caso che Sejum o Immirù fossero impossibilitati a venire, egli dice che in questo caso potrebbe incontrarsi solo con l'altro Ras, col quale non ha nessuna nimicizia e manco amicizia, ma a patto che questo Ras, appena che gli è davanti, s'inginocchi a tre passi di distanza e poi, striscianto sulla pancia, arrivi a baciargli i piedi perché così vuole e comandu la tradizione.

Ma comungue tutto questo dovrebbe avvenire a Vigàta e mai a Roma, datosi che egli i Ras li può ricevere, ma non può abbassarsi fino al punto di antare da loro.

Seconto me, la cosa più meglio di tutte sarebbe di non parlare più di questo viaggio di Grhane a Roma.

Se accettate la proposta del biglietto così com'è lui le cinquemila lire le vuole lire mille in contanti e le restanti quattromila versate sul conto a lui intestato presso il Banco di Sicilia, Agenzia di Vigàta.

Egli dice che scriverà il biglietto appena che dalla Banca gli avranno deto che i soldi ci sono.

Sempre a corto di Vostri Ordini

Viva il Duce!

Argento Antonio Giovane Fascista

REGIA SCUOLA MINERARIA DI VIGÀTA

Dopodomani, 20 novembre 1929, ricorrerà il 65° anno della Fondazione della nostra Regia Scuola.
In tale Ricorrenza, nel pomeriggio di detto giorno, alle ore 17, si terrà un festeggiamento nell'Aula Magna, al quale sono invitati a partecipare, in camicia nera, tutti i camerati professori con le rispettive famiglie e tutto il personale amministrativo e ausiliario sempre in camicia nera e con le rispettive famiglie.
Alla manifestazione saranno presenti S. E. il Prefetto di Montelusa, S. E. il Vescovo, il Segretario Federale e il Podestà di Vigàta.
Viva il Duce!

IL DIRETTORE
Ing. Carmelo Porrino

CREDERE, OBBEDIRE, COMBATTERE!

Foglio d'ordini 34798

Al Giovane Fascista
Antonio Argento
Via P. Carnemolla 16
Vigàta

Montelusa, 19 novembre 1929

Argento!

Come vi permettete di scrivere, nella vostra sgramma-ticatissima lettera, che «secondo voi sarebbe meglio»?

Voi non dovete assolutamente mai esprimere nessun parere, siete un semplice gregario che non deve fare altro che obbedire ciecamente agli ordini ricevuti!

E anche quel negro, Principe o non Principe, non osi mai più dare consigli al Duce!

La traccia che avete scritto del biglietto che quel negro del cazzo deve mandare al Negus fa semplicemente ridere.

Se vuole essere pagato, lo pagheremo.

Che ci dica quanto vuole per scrivere un biglietto così concepito:

«Caro Zio, da quando sono arrivato a Vigàta per frequentare la Regia Scuola Mineraria mi sento rinato a novella vita! Qui, da quando la Rivoluzione Fascista ha piantato i suoi Labari vittoriosi, tutti mi dicono che vivono una esistenza più ricca e felice. Il Duce è venerato e amato. Più lo frequento e più scopro quanto il Popolo italiano, temprato dal Fascismo, sia forte e coraggioso e guerriero, pronto a colpire il nemico senza pietà nella pugna, ma nello stesso tempo generoso e pronto a tendere una mano fraterna, a ricambiare al mille per cento un gesto d'amicizia. Mi è capitata una cosa che ti voglio riferire. Tutte le persone che ho incontrato, appena hanno saputo che ero tuo nipote, hanno avuto parole d'elogio e di ammirazione per la Tua persona. In salute sto bene e così spero di te. Tuo affezionatissimo nipote ecc. ecc.».

Recatevi da lui con le stampelle, ma io voglio una pronta risposta.

In quanto all'incontro con gli altri Ras voi stesso potete capire l'impossibilità che il Duce in persona si sposti da Roma per arrivare a Vigàta accompagnato da un abissino.

No, è indispensabile che sia il negro a venire a Roma.

E deve incontrare i due Ras.

Cosa vuole per dimenticare per qualche ora di soffiarsi il naso in presenza di Mangascià?

Attendo immediata risposta.

Viva il Duce!

IL SEGRETARIO FEDERALE
(Arnaldo Caccialupi)

FEDERAZIONE PROVINCIALE FASCISTA
DI MONTELUSA
IL SEGRETARIO FEDERALE

CREDERE, OBBEDIRE, COMBATTERE!

Numero protocollo 739/RR/943
Oggetto: *Richiesta provvedimenti*

A S. E. Felice Matarazzo
Prefetto di
Montelusa

Montelusa, 19 novembre 1929
Eccellenza!
Mi è stato segnalato dal Giovane Fascista Argento
Antonio di Vigàta un gravissimo episodio di sabotag-
gio a una delicatissima missione politica alla quale det-
to giovane si sta dedicando dietro mio ordine.
A porre in atto tale indegno disegno eversivo è sta-
to, con la complicità del suo cane, tale Mangiavillano
Prospero, assai tristemente noto per le sue idee anti-

fasciste e antipatriottiche e più volte recluso per avere pubblicamente osato manifestare queste sue opinioni avverse al Regime Fascista e, in particolare, contro S. E. Benito Mussolini. Vengo a chiedervi pertanto che vogliate prontamente prendere a suo carico il provvedimento di relegazione al confino per la durata che riterrete opportuna.

IL SEGRETARIO FEDERALE
(Arnaldo Caccialupi)

REGIO MINISTERO DEGLI ESTERI
IL MINISTRO

Prot. n. 234/912/B
Oggetto: *Ppe Grhane Sollassié*

Al Camerata Arnaldo Caccialupi
Segretario Federale di
Montelusa

Roma, 24 novembre 1929

Camerata!

Questo Ministero, dopo aver preso gli opportuni Ordini del Duce, sarebbe disposto in linea di massima ad accettare, con alcune indispensabili modifiche, le condizioni poste dal Principe Grhane Sollassié circa la scrittura di una lettera al Negus Ailé Sellassié e la sua venuta in gennaio a Roma per incontrarsi con due Ras alla presenza di S. E. Benito Mussolini.

Premesso che tutte le spese dell'Operazione «Freccia a due punte», così ha voluto chiamarla il Duce, sono da ritenersi a carico di questo Ministero, le modifiche da noi ritenute indispensabili sono le seguenti:

§ Riduzione da lire 12.000 a lire 8.000 (ottomila) per la scrittura di una lettera allo zio Negus in tutto e per tutto simile a quella da Voi proposta.

§ Tale lettera, una volta che è stata compilata, non dovrà essere spedita direttamente da Vigàta in Etiopia, ma inviata, in doppia busta, a questo Ministero che provvederà all'inoltro per corriere diplomatico.

§ Riduzione da lire 30.000 a lire 20.000 (ventimila) per quello che il Principe chiama «momentaneo abbassamento della sua dignità» in quanto dovrà essere lui a recarsi a Roma e non i Ras ad andarlo a trovare a Vigàta.

§ Per dimenticare di soffiarsi il naso e di sputare per terra alla vista di Ras Mangascià, il Principe chiede l'esorbitante somma di ben 100.000 lire. Comprendiamo benissimo che cosa significhi per il Principe il suo «tradimento», così egli lo definisce, a una secolare tradizione, però noi non siamo assolutamente in grado di soddisfare questa richiesta che, francamente, riteniamo astronomica. Pertanto, dopo una consultazione telefonica con l'Ambasciatore d'Etiopia a Roma, siamo riusciti ad ottenere la sostituzione di Ras Mangascià con Ras Sejum.
In tal caso, il Principe non ha nulla da pretendere.

In conclusione: il Principe riceverebbe, secondo le modalità da lui stabilite, lire 28.000 (ventottomila) per il suo disturbo. Le spese del viaggio in vettura letto di prima classe e quelle di soggiorno a Roma in albergo di prima categoria sono naturalmente a carico di questo Ministero.

Poiché il tempo stringe, se il Principe volesse qualcosa di più, siete autorizzati ad arrivare, senza chiedere nostra conferma, fino a una cifra complessiva di lire 30.000 (trentamila).

Saluti fascisti

per il MINISTRO
Il Capo di Gabinetto
Corrado Perciavalle

SERVIZIO DI STATO
TELEGRAMMA

da: ARNALDO CACCIALUPI
SEGRETARIO FEDERALE MONTELUSA
a: CORRADO PERCIAVALLE
MINISTERO ESTERI ROMA
data: 27 novembre 1929
ore: 9

Concluso lettera et viaggio principe per lire trentamila dicesi trentamila stop principe però fattomi notare che se lettera viene inviata tramite valigia diplomatica questo può provocare nello zio sospetto che detta lettera non sia stata spontaneamente scritta stop le altre lettere ai familiari il principe le invia infatti per posta normale stop attendo vostre istruzioni stop saluti fascisti stop arnaldo caccialupi segretario federale montelusa

SERVIZIO DI STATO

TELEGRAMMA

da: CORRADO PERCIAVALLE
MINISTERO ESTERI ROMA
a: ARNALDO CACCIALUPI
SEGRETARIO FEDERALE MONTELUSA
data: 27 novembre 1929
ore: 13

Osservazione fattavi principe et da voi riferita est in linea di massima ragionevole stop ma non può essere presa in considerazione poiché essendo detta lettera scritta in lingua etiopica nostri servizi segreti provvederebbero apertura busta et poi la richiuderebbero senza traccia lasciare onde controllare se quanto scritto dal principe corrisponde a quanto da noi voluto stop fate in modo che il principe accetti la nostra procedura stop saluti fascisti stop corrado perciavalle capo di gabinetto ministero degli esteri roma

SERVIZIO DI STATO
TELEGRAMMA

da: ARNALDO CACCIALUPI
SEGRETARIO FEDERALE MONTELUSA
a: CORRADO PERCIAVALLE
MINISTERO ESTERI ROMA
data: 27 novembre 1929
ore: 17.25

Credo avere trovato soluzione assolutamente a noi conveniente che eliminerebbe giusta osservazione principe stop trovasi in montelusa vecchio sacerdote di indubbia fede fascista il cui nome est bottino francesco che parla correntemente etiopico stop egli potrebbe quindi tradurre et dettare lettera al principe et controllare onde sia fedelmente trascritta in etiopico stop poiché il sacerdote est in disagiate condizioni economiche propongo un compenso di lire mille stop saluti fascisti stop arnaldo caccialupi segretario federale montelusa

da: CORRADO PERCIAVALLE
MINISTERO ESTERI ROMA
a: ARNALDO CACCIALUPI
SEGRETARIO FEDERALE MONTELUSA
data: 27 novembre 1929
ore: 21.15

Conferito personalmente con s. e. benito mussolini che trova vostra soluzione eccellente et congratulasi con voi stop siete quindi autorizzato a contattare sacerdote bottino francesco et corrispondergli quanto dovuto stop naturalmente questa procedura annulla proposta trasmissione lettera tramite corriere diplomatico stop saluti fascisti stop corrado perciavalle ministero degli esteri roma

Principe,

non capisco perché mi avete mandato un biglietto segreto nel quale dite che dopo avermi conosciuta alla manifestazione per i 65 anni della Scuola Mineraria volete assolutamente parlarmi in privato.

Se mi spiegate prima di cosa si tratta, io potrei decidere o no d'accettare questo incontro.

Allo stato delle cose, non ne vedo il motivo.

Michelina Butticè

P. S.: Siete sicuro che il bidello del quale ci stiamo servendo per corrispondere sia veramente fidato? Non dimenticate che sono la figlia del Segretario della Scuola e tutto questo, se scoperto, potrebbe nuocere molto a papà.

REGIO MINISTERO DEGLI ESTERI
IL MINISTRO

Prot. n. 234/998/B
Oggetto: *Ppe Grhane Sollassié*

Al Principe Grhane Sollassié Mhssa
presso Prestifilippo
via Garibaldi 28
Vigàta

Roma, 2 dicembre 1929

Signor Principe,
in merito alla vostra richiesta, trasmessaci dall'Ambasciatore d'Etiopia a Roma al quale Voi vi siete indirizzato, vi comunichiamo che questo Ministero ha deciso di accogliere senza riserve la Vostra domanda di rinnovo del guardaroba in occasione della Vostra prossima venuta nella Capitale ritenendola consona all'Evento al quale dovrete partecipare.

Quindi gli abiti che vi volete far confezionare, «adeguati al Vostro rango e alla solennità dell'incontro», saranno a nostre spese. Se non disponete di contanti per il pagamento della sartoria, S. E. il Prefetto di Montelusa è stato autorizzato da questo Ministero, tramite il Ministero dell'Interno, a fornirvi la somma necessaria dietro Vostra richiesta.

L'Ambasciatore ha voluto cogliere l'occasione per raccomandarci di comunicarVi che la Corte Etiopica ha sanato il contenzioso con la Direzione Generale del Banco di Sicilia saldando lo scoperto eccedente di 3.000 lire sul conto a Voi intestato presso l'Agenzia di Vigàta di detto Banco.

Ma di fronte all'elenco delle nuove spese successivamente da Voi presentato, comprendente lire 3.000 per acquisto abito da società con relativo soprabito e scarpe, lire 600 per acquisto attrezzatura completa per scherma e lire 1.800 per rinnovo mobili casa Prestifilippo, l'Ambasciatore riferisce che il Ministro della Pubblica Istruzione Etiopico desidera che Vi siano fatte presenti le ristrettezze finanziarie del Vostro Paese e il sacrificio che il Governo Etiopico compie per mantenerVi agli studi, affinché vi attieniate da ora in poi a un più modesto tenore di vita non superando in alcun modo la somma di lire mille italiane mensili.

Avete avuto modo, nei giorni trascorsi in Italia, di constatare tangibilmente la generosità del Fascismo verso tutti gli ospiti stranieri. Questa generosità, siatene certo, continuerà ad essere esercitata a Vostro favore ove Voi lo vogliate.

Vogliate gradire i nostri saluti fascisti

per il MINISTRO
Il Capo di Gabinetto
Corrado Perciavalle

REGIA PREFETTURA DI MONTELUSA
IL PREFETTO

Protocollo n. 98901/BV/B/B/612
Oggetto: *Spese Principe Grhane Sollassié*

Al Camerata Corrado Perciavalle
Capo di Gabinetto di S. E. il
Ministro degli Esteri
Roma

Montelusa, 8 dicembre 1929

Camerata!

Vi informo che questa Prefettura ha proceduto al rimborso di una somma pari a lire 5.400 (cinquemila e quattrocento) al Principe Grhane Sollassié per le spese da lui sostenute per un abito di società, attrezzature di scherma e rinnovo mobili casa Prestifilippo.

Ha già ordinato presso il miglior sarto locale due vestiti da passeggio di tessuto inglese di gran lusso e un frac con larghe e fantasiose bordature in oro e argento, del quale ha fornito personalmente il disegno.

Ho autorizzato anche la spesa, presso lo stesso sarto, di due abiti estivi dei quali non vedo la necessità dato che l'incontro con S. E. Benito Mussolini e i due Ras è previsto per il prossimo mese di gennaio. Purtuttavia ho ritenuto opportuno concedere l'autorizzazione perché m'è parso che l'attuale orientamento verso il Principe sia quello di favorirlo in tutti i modi almeno fino a quando non avrà scritta la lettera allo zio e non sia avvenuto l'auspicato incontro romano.

Desidero inoltre portare a Vostra conoscenza che, a stare a quanto riferitomi dal Podestà di Vigàta, il fatto che il Principe abbia voluto rinnovare del tutto il mobilio di casa Prestifilippo presso la quale è ospite pagante e non quello, come sarebbe stato in parte accettabile, della sola sua stanza, ha fatto nascere in paese voci non controllate circa il suo prossimo fidanzamento ufficiale con la figlia del Prestifilippo, la diciassettenne Antonietta.

Se questo fosse vero, il Prestifilippo potrebbe essere contattato in quanto sarebbe in grado d'esercitare una positiva influenza sulle idee del Principe.

Ma altre voci sostengono, fantasiosamente a mio parere, che il Prestifilippo, al contrario, è diventato completamente succube del Principe, in tutto e per tutto sottomesso alla sua volontà in seguito a un rito stregonesco.

Saluti fascisti

IL PREFETTO
(*Felice Matarazzo*)

†

CURIA VESCOVILE DI MONTELUSA

A Don Stefano Ficarra
Via dei Crociferi 14
Vigàta

Montelusa, 9 dicembre 1929

Caro Don Stefano,
la notizia che voi ci avete dato ha immensamente rallegrato il cuore di S. E. il Vescovo.

Voi ci riferite che il giovane Principe Grhane Sollassié non solo è immancabilmente presente all'ora di Religione dimostrando sempre grande attenzione e interesse, ma vi ha anche chiesto un incontro privato per avere maggiori spiegazioni sull'idea del Diavolo nella nostra Fede Cattolica e perciò ci chiedete l'autorizzazione a detto incontro.

S. E. il Vescovo ve la concede e mi incarica di comunicarvi che Egli pregherà affinché lo Spirito Santo possa ispirarvi le parole giuste da dire al Principe onde possa nel suo cuore aprirsi uno spiraglio attraverso il quale possa passare la voce della Verità.

Sarebbe meraviglioso se il Principe abbracciasse la Chiesa Cattolica! Pensate l'eco che potrebbe avere una notizia simile!

S. E. vi manda la sua speciale Benedizione.

per S. E. IL VESCOVO
il Segretario particolare
(Don Angelo Sorrentino)

Principe,

ho letto il vostro biglietto e l'ho bruciato come voi mi avete raccomandato di fare.

Voglio essere sincera con voi.

Mi sembrate completamente fuori di testa.

Mi accennate che volete incontrarmi per propormi un matrimonio che potrebbe essere assai conveniente per me.

Ora, a parte la stranezza che siate voi, un perfetto sconosciuto, a interessarvi della mia condizione, non riesco nemmeno lontanamente a immaginare chi possa essere l'uomo che volete propormi come marito e quale beneficio voi ne possiate avere.

Siate più chiaro.

Michelina

Vigàta – Ieri la giovane Antonietta Prestifilippo, di anni 17, uscita al termine delle lezioni dal liceo Pitagora di questa città, si dirigeva, come ogni giorno, verso la propria casa, ma arrivata all'incrocio tra via Epicuro e via Garibaldi dove è ubicata la sua abitazione, veniva fatta segno a due colpi d'arma da fuoco che fortunatamente la mancavano.

Uno dei due colpi purtroppo, penetrato all'interno del caffè Littorio, situato nel marciapiede antistante, recideva di netto il filo che sorreggeva il grande lampadario del salone, artistico manufatto in ferro battuto, il quale precipitava sul tavolo in quel momento occupato dal camerata Sebastiano Borino, segretario politico Fascista di Vigàta, e della sua gentile consorte. I due venivano ricoverati in gravi con-

dizioni presso l'Ospedale di Montelusa.

Intanto l'attentatore, che si era dato alla fuga, veniva inseguito da alcuni coraggiosi passanti i quali lo raggiungevano, lo disarmavano e lo consegnavano a due agenti del vicino Commissariato di Pubblica Sicurezza. Qui veniva identificato come Müller Rainer, allievo della Regia Scuola Mineraria di Vigàta, di anni 20. Non è stato possibile interrogarlo circa i motivi dell'insano gesto in quanto il giovane, in preda a una violenta crisi di nervi, ha tentato di suicidarsi con un tagliacarte ed è stato perciò ricoverato all'Ospedale di Montelusa dove ancora attualmente trovasi piantonato.

Per dovere di cronaca riferiamo le voci che girano in paese e che spiegherebbero le ragioni di questo gesto che tanta emozione ha suscitato in città.

Pare che il Rainer Müller da tempo fosse follemente innamorato della giovane Antonietta Prestifilippo e che la ragazza in qualche modo non disdegnasse le sue attenzioni.

Senonché da qualche tempo in casa Prestifilippo è venuto ad abitare, come pigionante, il Principe etiopico Grhane Sollassié Mbssa, nipote del Negus Imperatore d'Etiopia, anche lui allievo della Regia Scuola Mineraria.

Sembra, ma ripetiamo si tratta di voci incontrollate, che tra l'aitante Principe e la giovane padroncina di casa sia sbocciato un amore impetuoso che ha portato il Müller a tanta follia da spingerlo a tentare d'uccidere la ragazza che l'aveva abbandonato *(B. V.)*.

REGIO COMMISSARIATO DI P. S. DI VIGÀTA

Numero protocollo:
Oggetto:

Al Commendator Filiberto Mannarino
Questore di
Montelusa

RISERVATA PERSONALE

Vigàta, 17 dicembre 1929

Signor Questore,
come da lei ordinatomi, malgrado il testardo silenzio nel quale si è voluto chiudere Rainer Müller, l'attentatore, le mie indagini mi hanno portato ad una versione dei fatti assai diversa da quella raccontata dal cronista del «Giornale dell'Isola».

Conclusione che, data la delicata situazione venuta si a creare attorno al Principe Grhane Sollassié, non mi consente di inviarle un rapporto ufficiale.

Già avevo avuto modo, in precedenza, d'illustrarle le innaturali inclinazioni del Müller Rainer che qualche mese fa avevano portato a un suo tentativo di suicidio (poi rivelatosi come una finta) e alla successiva espulsione dalla Scuola Mineraria dell'allievo Arzigò, onde evitare una quasi certa denunzia di atti osceni in luogo pubblico.

Senonché, appena arrivato nella Regia Scuola il Principe Grhane, il Müller non perdeva tempo a infatuarsi di lui manifestando apertamente, senza alcun ritegno, il suo sentimento. Ad esempio, durante le lezioni comuni ai tre corsi, egli aveva fatto in modo di cambiare di posto così da venirsi a trovare compagno di banco del Principe.

Di questa situazione il Direttore della Scuola era venuto a conoscenza attraverso la precisa segnalazione di uno dei professori, ma aveva ritenuto di non dover interferire fidando soprattutto sulla nota, e fin troppo manifesta, attrazione che il Principe ha per le donne.

Senonché, a quanto sono riuscito ad apprendere attraverso la testimonianza, come dire, privata, dell'allievo Cuticchio Giovanni, giovane di profonda fede religiosa, il Principe in almeno due occasioni è stato da lui visto ricambiare in modo totale le effusioni del Müller.

Ha tenuto anche a dirmi che la prima volta che li sorprese in atteggiamento intimo in un'aula in quel momento deserta, si avvicinò sdegnato e arrabbiato ai due ordinando loro di smettere immediatamente. Ma il Principe, senza fermarsi, lo colpiva all'inguine con un calcio intimandogli di andarsene.

Alla mia domanda perché non avesse denunziato i due

al Direttore, il Cuticchio mi ha risposto che ha preferito pregare ogni mattina per la salvezza delle loro anime.

Può darsi che dalle parti del Principe sia del tutto normale avere rapporti sessuali sia con un uomo sia con una donna, ma la mia personale opinione è che il Principe abbia accettato di fare la parte del marito del Müller solo perché questi l'ha pagato profumatamente.

Infatti il Müller padre, una quindicina di giorni fa, era venuto in commissariato a denunziare la sparizione di una valigetta che egli teneva in casa contenente la somma di lire 1.543 in contanti.

Io del furto avevo sospettato la cameriera, ma ora credo che a sottrarre la valigetta sia stato il figlio per pagare le prestazioni del Grhane al quale, come è noto, i soldi non bastano mai.

Circa le voci che corrono in paese di un innamoramento della diciassettenne Antonietta Prestifilippo e del Principe, sono in grado di riferirle che si tratta di assai più di un semplice innamoramento.

La camera da letto di Antonietta confina con la camera da letto dell'attiguo appartamento occupato dai coniugi Marianna e Pasquale Losturzo. Essi, in via confidenziale, mi hanno dichiarato che ogni notte, e per ore, sentono inequivocabili rumori e suoni provenire attraverso il muro divisorio. Stanno addirittura meditando di cambiare l'ubicazione della loro camera da letto.

Circa le voci che il padre di Antonietta, Gaetano Prestifilippo, impiegato comunale e noto anche come poeta, sia diventato completamente succube del Principe, i signori Losturzo mi hanno riferito come più volte hanno visto il Principe dare i suoi quaderni e i suoi libri al Prestifilippo perché li portasse lui nel salire le scale.

In conclusione, il tentato omicidio è avvenuto non perché Müller era un innamorato abbandonato dalla Prestifilippo, ma per gelosia verso il Principe diventato l'amante della giovane diciassettenne.

Subito dopo l'arresto del figlio si è presentato da me il padre, l'ingegnere Heinrich, il quale con fare altezzoso mi intimava l'immediato allontanamento del Principe dalla Scuola e motivava la sua richiesta con un ragionamento che ho capito solo in parte. Secondo lui il vero colpevole del tentato omicidio era il negro, non perché aveva portato via la ragazza al figlio, ma perché negro e quindi propalatore di barbarie e d'istinti selvaggi solo con la sua presenza. È la prima volta che mi sento dire che si può diventare assassini per contagio.

Siccome la sua tracotanza mi aveva irritato molto, non sono riuscito a trattenermi e gli ho raccontato per filo e per segno come erano andate le cose, compreso il finto suicidio messo in atto per non perdere il precedente amore con il compagno di classe Arzigò. La rivelazione l'ha quasi fatto svenire. È uscito barcollante dal commissariato mormorando che si sarebbe immediatamente dimesso dal Partito Nazionalsocialista a causa di un figlio indegno.

Poiché è diventato di pubblico dominio il fatto che il Principe abbia completamente rinnovato il mobilio di casa Prestifilippo in paese sono tutti convinti che prossimamente verrà dato l'annunzio del suo fidanzamento ufficiale con Antonietta.

Speriamo bene.

Rispettosi saluti

IL COMMISSARIO DI P. S. DI VIGÀTA
(Giacomo Spera)

Principe,

il vostro biglietto era, o almeno così m'è parso, alquanto difficile da capire perché avete un modo di scrivere disordinato e scomposto (non dimenticatevi che insegno italiano).

Ricapitolo la sostanza delle vostre intenzioni.

Voi mi proponete un marito nella persona del signor Gaetano Prestifilippo, che io conosco bene e che al momento attuale è il vostro padrone di casa ma che presto (questo non l'avete scritto, ma così si vocifera in paese) potrebbe diventare il padre della vostra fidanzata. Voi mi scrivete che avete già «accennato alla cosa» col Prestifilippo e che questi non sarebbe contrario malgrado la differenza d'età: infatti io ho 29 anni e lui 51, il che fa più di vent'anni.

Lo credo bene che il Prestifilippo non è contrario. Io, pur essendo una che non è riuscita a trovare marito per mancanza di doti fisiche, sono pur sempre meglio di quella zitella o di quella vedova cinquantenne che gli toccherebbe se volesse rimaritarsi.

Mi assicurate che il Prestifilippo può «ancora fare bene assai marito» e io capisco perfettamente quello che intendete dire. Avete anche aggiunto che al vostro Paese c'è un modo di dire che suona all'incirca così: «quando un frutto è troppo maturo, si vede ad occhio nudo che sta per cadere dal ramo».

Franchezza per franchezza, vi dirò che avete una buona vista: infatti io non ne posso più di stare su quel ramo e ho proprio voglia di cadere. Voi mi spiegate il vostro personale interesse per questo matrimonio asserendo che nella casa dei Prestifilippo, dove a quanto pare voi state ricostituendo la vostra lontana famiglia, c'è un vuoto, quello della figura materna, che la mia presenza verrebbe a colmare.

Ma vi sembra che io sia la donna giusta per farvi da madre supplente? La mia domanda oltretutto diventa indispensabile se considero quello che mi chiedete preventivamente di fare.

La vostra richiesta, in tempi antichi, aveva un nome preciso. Si chiamava Jus primae noctis.

Voi lo esigete in quanto Principe che considera ormai sua proprietà casa Prestifilippo e quindi vostri dipendenti i suoi abitanti. E volete il rispetto di questo diritto di prima notte all'atto stesso della mia accettazione della vostra proposta.

In altre parole, volete essere voi a far cadere il frutto dal ramo dandogli un forte scossone.

Vi dico subito che non ho nulla in contrario a uniformarmi a questa che mi dite essere una tradizione del vostro Paese.

E sono anche d'accordo sui tempi.

Perché sarebbe assai complicato portare a buon fine il vostro diritto, una volta sposata, data la presenza in casa

171

di mio marito e della di lui figlia. Se la memoria non m'inganna, mi ricordo infatti d'aver letto che questo diritto veniva esercitato proprio in occasione della prima notte di matrimonio, quando accanto alla sposa si coricava il Principe o quello che era.

Mi pare di ricordare anche che assai spesso tutto questo diventava una specie di cerimonia, di atto formale: il nobile si coricava accanto alla sposa per pochi minuti ma subito dopo si rialzava cedendo il posto al legittimo marito.

Nel caso che voi voleste fare solo un atto formale, allora si potrebbe aspettare fino al giorno del matrimonio. Non credo che né mio marito né sua figlia avrebbero nulla in contrario.

Ma, se ho ben capito le vostre parole e la vostra intenzione, voi non volete limitarvi a un semplice atto formale.

In conclusione: accetto la vostra proposta, sono pronta a fidanzarmi col Prestifilippo.

Quindi non vi resta che fare una cosa: trovare un posto tranquillo e sicuro dove io possa raggiungervi senza essere vista da nessuno e dove voi possiate esercitare, per tutto il tempo che vorrete, il vostro diritto.

Tenete presente però che mi è più facile essere libera dal primo pomeriggio.

Michelina

Frammenti di parlate 3

VIGÀTA – REGIA SCUOLA MINERARIA
18/12/1929, ORE 17

– Ma che fu? Ma che successe? Professore De Vita, lei presente era?

– Certo, Direttore. M'ero portato in miniera gli allievi di primo e secondo corso per la solita lezione pratica. Eravamo scesi alle due, subito dopo aver mangiato, e la lezione procedeva tranquillamente da un'ora quando si scatenò il finimondo.

– Professore, non mi tenga sul foco, mi dica tutto.

– Come sempre faccio, avevo diviso gli allievi in piccoli gruppi, alcuni nelle gallerie dismesse, altri in quelle in funzione e io passavo da un gruppetto all'altro. Mi trovavo in una galleria funzionante quando abbiamo sentito un urlo disumano provenire dalla galleria a fianco, una di quelle dismesse. Le faccio uno schizzo?

– Non mi deve schizzare niente, vada avanti.

– No, vorrei farglielo, lo schizzo, perché il grido non sarebbe tecnicamente potuto arrivare fino a noi, in quanto la propagazione delle onde sonore, come lei ben sa, s'arresta davanti a…

175

– Ma lei vuole farmi proprio nesciri pazzo? Vada al dunque, Cristo!

– Va bene, non s'arrabbi, Direttore. Dunque, abbiamo sentito questo grido disumano e ci siamo paralizzati. Il grido continuò. Tutti ci chiedemmo cosa stava succedendo. Anzi, per la precisione, l'allievo Principato Filippo, che si trovava a due passi da me, disse che sicuramente qualcuno si era ferito. Al che l'allievo Carcarato Antonio, che era a un passo, o a un passo e mezzo dietro me...

– Basta, perdio!

– Ma che le prende?

– C'era Zaccaria con lei?

– Il mio assistente? Sì.

– Me lo mandi. E lei, per amor del cielo, se ne vada!

VIGÀTA – REGIA SCUOLA MINERARIA
18/12/1929, ORE 17,10

– ... e sentivamo 'sta tirribili vociata che s'avvicinava in quanto quello che faciva voci stava correnno fora dalla gallaria. Macari io allora mi misi a correre per
vedere quello che stava capitanno. E arrivai in tempo
per vedere a uno che nisciva fora dalla gallaria conti-
nuanno a fare voci come un pazzo.

– Era l'allievo Cuticchio Giovanni?

– Sissi. Ma di subito non l'arriconobbi, in primisi pirchì c'era scuro e in secundisi pirchì non pariva lui.

– In che senso?

– Diretturi mio, aviva l'occhi che ci niscivano fora,
la vucca storta e una speci di vava bianca che gli cola-
va e po' fitiva.

– Puzzava? Di che?

– Di merda. Si era cacato.

– Va bene, va bene. E allora che avete fatto, Zaccaria?

– Cercai di fermarlo, ma non ce la feci. Mi dette un
ammuttuni e continuò a curriri verso l'ascensore. Ma

177

a mità strata, truppicò, sbattì la testa 'n terra e ristò sbinuto.

– E allora?

– E allura dù minaturi, 'nzemmula col profissori De Vita, se l'acchianarono di supra. L'hanno portato al pronto soccorso, ma siccome la firuta alla testa era granni, l'hanno accompagnato allo spitali di Montelusa.

– Ma si è capito che gli è successo?

– Taliasse, Diretturi, nella gallaria con lui c'era Marchica Paolo, lui capace che ne sapi chiossà.

– Mandami Marchica.

VIGÀTA – REGIA SCUOLA MINERARIA
18/12/1929, ORE 17,20

– E perché ti sei allontanato dal tuo compagno?
– Mi sono inoltrato in un braccio della galleria dove il professor De Vita ci aveva detto che era stato sperimentato un sistema di drenaggio che...
– Lascia perdere. Dimmi quello che hai visto.
– Prima di vedere, ho sentito.
– Dimmi quello che hai sentito.
– Ho sentito... è difficile a dirsi... una risata.
– Una risata?!
– Sissignore.
– Era Cuticchio che rideva?
– No, sicuramente non era lui.
– Ma se in quella galleria c'eravate solo voi due!
– Sì, ma non era lui che rideva. Quella era una risata spaventosa, io stesso mi terrorizzai, mi creda.
– Ma com'era 'sta risata?
– Diabolica, Direttore.
– Ma via, Marchica, siamo seri.

– Lo sono, Direttore. Era una risata satanica, terribile. E subito dopo Cuticchio gridò: «Il diavolo!».

– Stai contandomi che vide il diavolo? Mi stai pigliando per il culo? Guarda, Marchica, che io...

– Direttore, io le dico le cose che ho sentito e che ho visto. Se non mi crede, non parlo più.

– Vai avanti.

– Mentre la risata continuava, Cuticchio ripeté: «Il diavolo!» e poi il diavolo gli disse parlando lento e cavernoso e glielo ripeté due volte: «Tuae proditionis te paeniteat vel mecum trahebo te ad infera!».

– Ma come cavolo parli?

– In latino. Ero bravo al ginnasio.

– E che viene a dire?

– Pentiti del tuo tradimento o ti porto con me all'inferno!

– Disse proprio accussì?

– Proditionis questo significa, tradimento. Lo sentii chiaramente mentre tentavo di raggiungere Cuticchio.

– E quando l'hai raggiunto?

– No, non ce l'ho fatta. Le gambe mi sono diventate molli. Anch'io ero terrorizzato. E pochi secondi dopo ho visto passare correndo Cuticchio che urlava come un pazzo. E fu proprio allora che ho sentito la terribile puzza.

– Sì, lo so, se l'era fatta addosso.

– No, non era quel tipo di puzza.

– E di che tipo era?

– Zolfo che bruciava.

– Minchia!

– Perché si meraviglia? Dicono che il diavolo, quando appare…

– Ma quale diavolo e diavolo! Che minchia mi vieni a contare? Quella una miniera di zolfo è! O Matre santa! O Signuri biniditto! O Vergini santissima! Genuardi! Genuardi, di corsa da me!

– Agli ordini, Direttore!

– Allarme generale! Evacuare subito la miniera! O Signuruzzo santo! Dov'è Miccichè? Miccichè!

– Qua sono, Direttore!

– La squadra di controllo, subito in miniera! Si sente odore di zolfo che brucia nella galleria D, quella chiusa allato alla E in funzione. Matre santa, sulo il diavolo ci ammancava in questo casino!

VIGÀTA – MINIERA CARBONELLA
19/12/1929, ORE 7

– Ingegneri, i minaturi s'arrefutano di scinniri in minera!

– Kosa essere qvesta pazzia? Uno skiopero? Io kia-
mare subito Karabiniera!

– Nonsi, ingegneri. Non si tratta di sciopero.

– Kosa essere allora?

– Si scantano, paura hanno.

– Chi fare loro paura?

– 'U diavulu, ingegneri. Dicino che non scinnino in
minera se prima non veni un parrino a binidicirla e a
fari scappari a 'u dimoniu.

MONTELUSA – CURIA VESCOVILE
19/12/1929, ORE 8,30

– Pronto, Don Sorrentino? Sono ancora io, Don Ficarra.

– Mi dica.

– Si ricorda che un'ora fa le telefonai per avere l'autorizzazione da Sua Eccellenza il Vescovo per andare a benedire la miniera Carbonella?

– Certo che me lo ricordo. C'è andato?

– Sì, io volevo limitarmi a benedire l'ingresso della miniera, ma i minatori hanno preteso che scendessi giù. E così ho benedetto l'imbocco della galleria D dove sarebbe comparso il diavolo e me ne sono subito risalito. Le assicuro che non è piacevole stare laggiù. È veramente un posto infernale.

– Ora non ci si metta anche lei, padre!

– Dicevo per dire.

– E i minatori sono tornati al lavoro?

– Manco per sogno.

– E perché?

– Dicono che la benedizione non basta. Vogliono un prete capace di scacciare il demonio.

– Un esorcista?

– Ecco.

– E dove lo troviamo un esorcista? Attenda in linea che ne parlo a Sua Eccellenza.

– …

– Pronto? Don Ficarra?

– Sì. Che ha detto il Vescovo?

– Non glielo posso riferire. Sua Eccellenza si è, come dire, un pochino spazientito e mi ha mandato al diavolo. Dice che lui non ha tempo da perdere dietro agli esaltati che vedono il demonio con le corna e che puzza di zolfo.

– Ma quelli non scendono se non viene prima un esorcista.

– Cerchi di convincerli che basta la benedizione.

– E non l'ho fatto? Ma quelli non intendono ragioni. È intervenuto persino il proprietario, il Barone Gerratana, ma non l'hanno voluto manco stare a sentire. Sa a quanto equivale in denaro sonante la perdita di una giornata di lavoro al povero barone?

– Ha detto il Barone Gerratana? Il Presidente dell'Azione Cattolica?

– Lui, sì.

– Beh, allora…

– Mi dica.

– Allora una soluzione ci sarebbe.

– Parli.

– Facciamo così. Mi faccio sostituire qua in segreteria e tra mezz'ora al massimo vengo io.

– Non sapevo che lei era un esorcista.

– E quando mai ho detto di esserlo?

– E allora che viene a fare?

– L'esorcista. Scendo in galleria con una grande croce di legno e il rosario più grosso che trovo, dico un paternoster, due frasi in latino, grido «Vade retro, Satana», risalgo e me ne torno qua. Chiaro? E mi raccomando: lei mi tenga bordone.

– Eccellenza, ho bisogno di un vostro consiglio riservato.

– A disposizione, camerata Federale.

– È una faccenda delicata che riguarda la lettera che il Principe Grhane si è finalmente convinto a scrivere al Negus.

– So già abbastanza.

– Sapete anche della mia proposta di far dettare la lettera da Monsignor Bottino, cosa di cui il Duce si è voluto compiacere?

– Sì. Mi è stato riferito.

– Bene. Solo ieri ho potuto far venire in Federazione questo prete, si è appena rimesso da una bronchite. Ha novant'anni e parecchi acciacchi. Insomma è più in là che in qua.

– Beh, fossi in voi, non ci perderei altro tempo a fargli tradurre e dettare la lettera.

– E questo è il problema. Monsignor Bottino, che è stato missionario in Etiopia sette anni, l'etiopico lo parla…

– E allora?

– ... ma non lo scrive.

– Come, non lo scrive?

– Non lo sa né leggere né scrivere. E non sa nemmeno se il dialetto che lui parla sia lo stesso di quello parlato dal Principe.

– Anche lì ci sono i dialetti?

– Pare di sì.

– Che rottura di coglioni, 'sti dialetti!

– Pare che il Duce abbia in mente di abolirli.

– Sarebbe l'ora!

– E così io mi vengo a trovare nei guai. Anzi, per dirla con schiettezza Fascista, nella merda. Se dico a Sua Eccellenza il Ministro degli Esteri che mi sono sbagliato, dopo che quello ne ha parlato col Duce, a me, a parte la figuraccia di coglione, mi fanno, e con ragione, un culo tanto.

– Questo sarebbe il minimo.

– Ma se non lo dico e il prete detta una cosa e quel negro del cazzo ne scrive un'altra, come faccio a controllare?

– È un bel problema.

– E se non controllo e quello chissà che scrive e poi scoppia un incidente diplomatico della madonna?

– In questo caso, temo che per voi ci sarebbe il plotone d'esecuzione.

– È quello che penso anch'io. Voi, al posto mio, come vi comportereste?

– Dunque, la prima cosa che farei è sapere se il prete parla lo stesso dialetto del Principe. Se parlano due

187

dialetti diversi, siete fottuto. Non ve la potrete cavare, dovrete dire tutto al Ministro.

– Questo posso appurarlo oggi stesso. E poi?

– Se parlano lo stesso dialetto, dovete trovare una qualsiasi cosa stampata in etiopico, un libro, un giornale, che il prete porterà con sé al momento in cui si presenterà al Principe per dettargli la lettera. Dovrà tenere il libro o il giornale bene in evidenza.

– Ma perché?

– Perché così il Principe si farà subito l'idea che il prete sappia leggere l'etiopico. E di conseguenza si sentirà obbligato a scrivere la lettera esattamente come gli sarà dettata, senza cambiare una virgola. E il prete, dopo che quello ha finito di scriverla, fingerà anche di rileggersela accuratamente.

– Geniale!

– In questo modo, possiamo stare sicuri che il Principe non ci farà brutti scherzi. E ricordatevi di ammaestrare bene il sacerdote!

– Vado subito. Voi non sapete, Eccellenza, quanto io vi sia…

– Ma figuratevi! Tra camerati, questo e altro!

– A buon rendere! Saluto al Duce!

– A noi!

– Pronto, commissario Spera?

– Agli ordini, signor Questore.

– Com'è la situazione in miniera?

– Tranquilla. Dopo che è venuto un prete a fare l'esorcismo e ha assicurato che il diavolo se n'era andato via, i minatori sono scesi regolarmente.

– Lei ci crede?

– A Dio?

– No, al diavolo.

– Ma le due cose non sono collegate?

– Senta, Spera, sto parlando di questo diavolo, questo della miniera.

– Ah, ho capito. No.

– Cosa può essere accaduto là sotto, secondo lei?

– Guardi, il diavolo è stato visto da un giovane della Scuola Mineraria, non da un minatore.

– Fa differenza?

– Enorme. Il minatore alla profondità, al buio, alla mancanza d'aria, c'è abituato. Un giovane che va giù ogni tanto, no. Capace che un riflesso, un suono, l'abbia spaventato e lui, che aveva già il sangue scosso, ha pensato di aver visto il diavolo.

– Oppure l'ha fatto per creare casino. I giovani…

– Non questo giovane. Le ho già scritto di lui. È di profonda fede religiosa, serissimo. È quello che m'ha detto d'aver visto il Principe mentre si congiungeva con quel suo compagno tedesco, quello che ha sparato alla…

– Sì, ricordo perfettamente. Ma allora perché l'altro giovane che era nei pressi ha detto d'aver sentito le parole del diavolo?

– Può essere stata un'eco… Anche lui era terrorizzato.

– La galleria dell'apparizione è stata chiusa?

– Dopo l'esorcismo, sì.

– Bisogna che vada a darci un'occhiata.

– Ma è ridicolo!

– Senta, Spera, è venuto il Federale a parlarmi.

– Che vuole?

– Che noi indaghiamo su questo fatto.

– Ma perché?

– Perché lui suppone che si tratti di un atto di sabotaggio da parte dei comunisti.

– Ma quello, se gli viene un attacco di stitichezza, è capace di dire che è colpa di un complotto comunista!

– Sono d'accordo con lei. Ma quest'indagine va fatta.

– Il Federale le ha spiegato perché i comunisti ce l'avrebbero con la miniera Carbonella?

– Perché è di proprietà del Barone Gerratana, il Presidente dell'Azione Cattolica.

– E che gliene frega al Federale del Presidente dell'Azione Cattolica?

– I comunisti non sono contro la religione e contro coloro che la praticano?

– Sì.

– E allora?

MONTELUSA – ALBERGO TRINACRIA
20/12/1929, ORE 14

– Oddiodiodiodiodiodiodiodiodiodiodiodiodiodio-
diodiodiodiodiodiodio…

MONTELUSA – ALBERGO TRINACRIA
20/12/1929, ORE 15

– Gesùgesùgesùgesùgesùgesùgesùgesùgesùgesù-
gesùgesùgesù…

MONTELUSA – ALBERGO TRINACRIA
20/12/1929, ORE 16

– Ohiohiohiohiohiohiohiohiohiohiohiohiohiohiohiohi…

MONTELUSA – ALBERGO TRINACRIA
20/12/1929, ORE 17

– Cosìcosìcosìcosìcosìcosìcosìcosìcosìcosì…

MONTELUSA – ALBERGO TRINACRIA
20/12/1929, ORE 18

– Sìsìsìsìsìsìsìsìsìsìsìsìsìsìsìsìsì...

MONTELUSA – ALBERGO TRINACRIA
20/12/1929, ORE 19

– Ancoraancoraancoraancora...

– Spera, perché ha voluto vedermi di persona?

– Perché stavolta la cosa è così seria che non me la sono sentita di scrivergliela manco riservatamente.

– Oddio! È per la storia del diavolo della miniera?

– Sì.

– Mi dica.

– Ieri mattina sono sceso nella miniera e mi sono fatto levare le assi di legno con le quali avevano chiuso la galleria in disuso, la D, quella del diavolo, così la chiamano ormai i minatori.

– Ha scoperto qualcosa?

– Sì. Quando ormai disperavo di trovare una qualsiasi cosa che potesse chiarire quello che è veramente successo, mi sono accorto che proprio in fondo alla galleria, nell'impalcatura di sostegno della volta, che è fatta di travi e di tavole, si era formato una specie di grosso buco. Ci ho infilato una mano dentro salendo sopra un carrello privo di ruote e ho trovato due grossi pezzi di zolfo raffinato.

– Beh, essendo una miniera di zolfo...

– Signor Questore, lo zolfo non si trova in miniera già raffinato.

– Ah, sì, è vero. Quindi qualcuno ce l'aveva portati.

– Esatto. Inoltre i due pezzi mostravano segni di combustione. Erano stati prima accesi, poi spenti sfregandoli per terra e quindi nascosti nel buco. E questo spiega l'odore di zolfo che accompagnò l'apparizione.

– Capisco. Quindi ha ragione il Federale. Un sabotaggio.

– No, non è stato un sabotaggio.

– E cosa allora?

– Una vendetta.

– Si spieghi meglio.

– Guardando più attentamente, ho scoperto per terra, a parte quattro zolfanelli usati, anche un frammento di carta bruciata. Siccome lo zolfo è lento a incendiarsi, a chi lo doveva bruciare non sono bastati gli zolfanelli, ha dovuto dare alle fiamme un foglio di carta e con quello è riuscito finalmente ad appiccare il fuoco allo zolfo.

– E cos'è questo frammento di carta?

– Il resto di una lettera. Scritta a mano, si vede ancora qualche parola, ma sono caratteri incomprensibili.

– Perché?

– Perché, a mio parere, sono scritti in etiopico.

– Oh cazzo! Oh grandissimo cazzo!

– Allora sono andato a casa Cuticchio a parlare con Giovanni, quello a cui è apparso il diavolo.

– Come sta?

– Ha ancora un po' di febbre per lo spavento. Però mi ha detto che non intende più frequentare la Scuola Mineraria.

– Perché?

– Perché dice che non vuole andare all'inferno, che si è pentito del tradimento e che vuole farsi prete.

– Ma di quale tradimento parla?

– Non me l'ha detto, ma io l'ho capito. Glielo dirò tra un attimo. Dunque, stando alle sue parole, il diavolo era nudo, tutto rosso, un cappuccio rosso dal quale spuntavano le corna e aveva la coda. E gli ha intimato, in latino, di pentirsi del suo tradimento.

– Quindi il signor Principe indossava una specie di calzamaglia rossa.

– Esatto. E sopra teneva i suoi vestiti. Gli è bastato levarseli per sembrare il diavolo.

– Ma le corna e la coda?

– Ho saputo che quella mattina era sceso in miniera con una valigetta. Quindi, dopo avere spaventato il povero Cuticchio, si è rapidamente rivestito ed ha approfittato della confusione generale per tornare a unirsi ai compagni.

– Furbo, non c'è dubbio. Ma mi vuol dire di cosa ha voluto vendicarsi?

– Deve essere riuscito a sapere, non so come, che Cuticchio aveva parlato con me raccontandomi d'averlo sorpreso con Müller.

– In conclusione, ora siamo certi che è stato il Principe a fare tutto 'sto casino!

– Guardi, signor Questore, che ha avuto un complice.

– Il ragazzo che era con lui nella stessa galleria?

– No, Marchica, il ragazzo, non c'entra.

– E chi allora?

– Ci arrivo. Mi sono detto che una cosa così non poteva essere stata improvvisata. Ho domandato in giro e ho saputo che gli allievi erano stati due volte in quelle gallerie. Quindi il Principe sapeva già qual era il posto ideale quando gli era venuta l'idea di travestirsi da diavolo.

– Sì, ma questo poteva farlo da solo, senza bisogno di complici.

– Signor Questore, l'apparizione è avvenuta in una galleria non in funzione.

– E che significa?

– Significa che Cuticchio non aveva nessuna ragione di andarci se qualcuno non ce lo mandava appositamente.

– E chi ce l'ha mandato?

– Il professor De Vita.

– Ma che dice? Un professore? Complice di una simile mascalzonata? Ma che motivo avrebbe potuto avere per...

– Anche lui voleva vendicarsi.

– Di Cuticchio?

– Del padre.

– E perché?

– Vede, il professor De Vita era stato costretto a dimettersi da tesoriere della Cattedrale proprio dal padre di Cuticchio che lo ha accusato di malversazioni.

197

Si vede che il Principe, che in certe cose mi sembra di essere diabolico, ha scoperto che tra il professore De Vita e l'allievo Cuticchio non correva buon sangue, allora è andato a fondo alla cosa e...

– ... ha convinto il professore a diventare suo complice. E ora che facciamo?

– Io sono venuto a chiederlo a lei, signor Questore.

– Senta, Spera. Se procedessimo, faremmo scoppiare uno scandalo enorme che manderebbe all'aria ogni cosa, la lettera al Negus, l'incontro col Duce e coi Ras... Ora come ora, abbiamo le mani legate. Abbozziamo. Tanto, il diavolo è andato via dalla miniera, no?

VIGÀTA – CAMERA DA LETTO CASA BUTTICÈ
23/12/1929, ORE 20

– Carmelì, unni sì? Com'è che la tavola non è ancora conzata?

– Cca sugnu, Pippì.

– Corcata ti sei? Ti senti male? No, resta corcata, pirchì ti susi?

– Ti vaiu a fari qualichi cosa di mangiari.

– Ma lassa perdiri! Se non ti senti bona, non ti susiri, mi priparo iu tanticchia di pasta. Ma che hai, malo di testa?

– No.

– Malo di panza?

– No.

– Ma si può sapiri che hai?

– Una notizia tinta.

– Morì qualichiduno?

– Non morse nisciuno.

– E Michilina com'è che ancora non è turnata?

– Siccome che stasira... 'nzumma... dice che siccome havi da fari gli scrutinii e finisce tardo...

'nzumma... stanotti dormi 'n casa di la sò amica Adele.

– Carmelì, da quanti anni è che semo maritati?

– Non lo sai, Pippì? Da trentadù anni.

– E tu vuoi che doppo trentadù anni che staiu cu tia, non capiscio quanno mi stai dicendo 'na farfantaria? Allura, dimmi la virità.

– La voi propio sapiri?

– 'Nca certo!

– Prima assettati supra a 'u lettu ch'è megliu.

– Accussì gravi è la cosa?

– La cchiù gravi ca poi pinsari.

– Minchia!

– Non diri parolazze!

– Allura, t'addecidi o no?

– A Michilina... fora di casa la ghittai!

– E chi fu? Vi sciarriastivu?

– Sì.

– E pirchì?

– Pirchì si fici zita.

– Si fici zita? Michilina?! Ma comu? Chiddra trova un maritu e tu pigli 'u luttu? A mia inveci mi veni di ballari senza sono! Una notizia magnifica è! Un terno è! Chi dicu un ternu? 'Na cinquina! E cu è 'u zitu?

– E qua ti vogliu! Gaetanu Prestifilippo!

– Gaetanu?! Gaetanu Prestifilippo? 'U poeta?

– Sissignura! Iddru! 'Stu vicchiazzu moribunno c'havi un pedi 'nni la fossa! 'Stu grannissimo 'nfami che ci ammancano i denti di davanti!

200

– Uno solo gliene manca, Carmelì! Non esagerare! Si metti 'na dintera e non si vidi cchiù nenti.

– Un vidovo cu 'na figlia! E Michilina si va a mettiri con lui! Svrigugnata! Sdisonorata! Opuro è nisciuta pazza completa! Ma comu fai, dicu iu, a maritariti cu uno c'havi vint'anni chiossà di tia! Unu ca ci pò viniri nonno!

– Patre, semmai.

– È lu stissu! Maria, che vrigogna! Non vogliu cchiù nesciri dalla mè casa! Figurati lu divertimentu di la genti! Addivintamu lu spassu di tutti! Un paìsi intero che ridi alle nostre spalli! Nossignura, iu da 'sta casa non nesciu cchiù. Nun nesciu manco se mi mannano i carrabbinera! Iu ccà ci fazzo la mè tomba!

– Càrmati, Carmelì, càrmati! Certo, non è 'u Principi negro ca ci volivatu dari pi marito. Ma raggiuna, Carmelì. Cu si la potiva pigliari a nostra figlia? Ma non la vidi quantu è laida, mischina?

– E finiscila cu 'stu laida e laida! Non è beddra, è nìvura di pelli, ma è graziuseddra di sicuro!

– Va beni, va beni. Ma considera che Gaetano Prestifilippo è 'na brava pirsona, onesta, senza vizi, 'mpiegato al municipio che quanno mori ci lassa la pinsione a nostra figlia… Iu, tutta 'sta tragedia ca stai facenno, non la viu propio.

– Signor Questore, vengo a porgere i miei più sinceri auguri a lei e a tutta la sua famiglia.

– Che ricambio di cuore, caro Spera.

– Signor Questore so che è Natale e che ha l'anticamera piena di gente che viene a farle gli auguri, ma ho bisogno che lei mi conceda solo cinque minuti in privato.

– Vuole parlarmi di lavoro proprio oggi? Il giorno di Natale?

– Purtroppo sì.

– Ci sono novità?

– Sì. Che mi preoccupano assai.

– E va bene, mi dica.

– Lei si ricorda che dopo aver cercato di ammazzare la giovane Antonietta Prestifilippo, quel poveraccio di Rainer Müller ha tentato il suicidio, stavolta per davvero?

– Certo che me lo ricordo.

– Bene. Quattro giorni fa il Müller è stato dimesso

dall'ospedale e tradotto in carcere. Io ho lasciato che passasse qualche nottata in cella e ieri pomeriggio sono andato a interrogarlo. Come supponevo, sono bastate due o tre notti di carcere per ammorbidirlo. Mi ha confermato quello che avevo supposto e cioè che era innamorato del Principe, che aveva avuto diverse volte con lui rapporti intimi pagandolo profumatamente, e che era follemente geloso della Prestifilippo.

– Ma non sono cose che sapevamo già?

– Sì, ma mi ha detto una frase che non solo mi ha sorpreso, ma ha gettato una luce diversa sull'intera faccenda.

– Che le ha detto?

– «È stato lui a darmi l'idea».

– Lui chi, scusi?

– Il Principe.

– Il Principe avrebbe suggerito al Müller di ammazzargli la fidanzata o l'amante o quella che è?

– Mi stia a sentire che vado avanti. Allora io ho chiesto al Müller che mi chiarisse il senso della frase. E il Müller mi ha rivelato che un giorno, dopo che lui, Müller, gli aveva fatto una grossa scenata di gelosia, il Principe aveva concluso con queste precise parole: «Se questa storia ti fa tanto soffrire, rubi il revolver a tuo padre, ti apposti vicino al liceo e quando vedi uscire Ninetta le spari».

– Forse voleva scherzare.

– Pensa questo? Fatto sta che Müller, dopo, ha eseguito puntualmente quello che gli era stato suggerito dal Principe.

– Ma forse, torno a ripetere, l'avrà detto così tanto per dire.

– Io credo che l'abbia detto così tanto per fare.

– Comunque sia, questo non ci basta per accusarlo di istigazione all'omicidio. Sempre tenendo presente che, oggi come oggi, a questo Principe verrebbe perdonato tutto, anche un delitto.

– Il Müller ha aggiunto che il Principe, dopo avergli detto quella frase, appena lo incontrava nei corridoi della scuola, gli puntava l'indice e il pollice della mano come fosse un'arma e gli chiedeva: «Quando ti decidi?».

– Va bene, ma siamo sempre allo stesso punto.

– Poi il Principe gli ha dato una cosa che ha finalmente spinto il Müller a sparare.

– Cioè?

– Dopo avergli fatto il solito gesto con la mano e avergli rivolto la solita domanda, ha estratto dalla tasca un paio di mutandine femminili usate e gliele ha gettate in faccia ridendo. È stato allora che il Müller ha perso completamente la testa.

– Ma il Principe non abita in casa Prestifilippo? Quelle mutandine può averle benissimo rubate!

– Però io ho la prova che i due sono amanti! La testimonianza dei signori che abitano accanto a loro è...

– Spera, quando io dico che le mutandine può averle rubate, non faccio altro che immaginarmi quello che direbbe un avvocato difensore! Capisce? Ma perché è così preoccupato? Pensa che il Principe ci riproverà ad ammazzarla o a farla ammazzare?

– Io sono preoccupato per il Principe.

– Oddio! Perché?

– Perché temo che, prima o poi, sia Antonietta Prestifilippo ad ammazzare il Principe. O almeno a tentare di farlo.

– Lei mi sta rovinando la giornata, Spera! Il Müller è in galera! Il Principe non potrà più avere rapporti con lui. O teme che il Principe inizi una nuova tresca con un altro compagno di scuola?

– Signor Questore, Gaetano Prestifilippo si è fidanzato. E si sposerà appena tutte le carte saranno pronte.

– Il padre di Antonietta? Che rapporto c'è tra le due cose? E poi Prestifilippo non è vedovo? Che c'è di tanto strano?

– Il fatto strano è che lo stesso Prestifilippo, che è un uomo candido e con la testa tra le nuvole, va dichiarando a destra e a manca che la fidanzata gliel'ha fatta conoscere il Principe.

– Oddio! Ma questo Principe deve sempre stare in mezzo ai coglioni di tutti? E chi è 'sta fidanzata?

– Si chiama Michelina Butticè, è figlia del Segretario della Scuola Mineraria, ha ventinove anni, cioè è più di vent'anni più giovane del Prestifilippo, e fa la professoressa d'italiano. È una donna di idee molto avanzate.

– In che senso?

– Nel senso che vuole la parità tra uomo e donna.

– Cioè, cazzate. Meno male, temevo che fosse di idee avanzate in politica. È una bella ragazza?

– Non direi proprio.

– Meglio così. Non susciterà gli appetiti del Principe.

– Lei dice? Michelina Butticè pare proprio una negra. Forse solo in Etiopia potrebbe essere considerata una bellezza.

– Appunto. Perciò vede che... Oddio! O Dio di un Dio! Lei pensa che... O Dio mio! Me la dica lei l'idea che si è fatto! Io non oso nemmeno immaginarmela! O madre santa, che guaio!

– Purtroppo credo che le cose stiano come anche lei le ha immaginate. Il Principe di certo si è innamorato follemente di Michelina. Forse l'avrà vista in occasione dell'inaugurazione dell'anno scolastico. O in qualche altra occasione. Comunque, se ne è innamorato. E di conseguenza ha organizzato l'omicidio di Ninetta.

– Ma che bisogno aveva di arrivare a tanto?

– Forse dalle sue parti si usa portare in dono, come pegno d'amore, a una nuova fidanzata la testa di quella che si è lasciata.

– Via, Spera, come avrebbe fatto a tagliare la testa al cadavere?

– Parlavo figurato, signor Questore. Se l'omicidio di Ninetta fosse riuscito, si sarebbe liberato, in una botta sola, dell'amante maschile e dell'amante femminile. Uno in galera e l'altra morta. Ma visto che la cosa è andata in porto solo a metà, ha aggirato l'ostacolo e ha fatto fidanzare Michelina con il padre di Ninetta. Così avrà Michelina casa casa tutti i giorni. E tutte le notti. A portata, diciamo così, di mano.

– Ma continuo a chiedermi: non era più facile per lui rompere la relazione con Ninetta e mettersi con Michelina?

– Avrebbe dato scandalo in paese. E lui sa benissimo che, in questo particolare momento, uno scandalo potrebbe fargli perdere i soldi che guadagnerà sia scrivendo la lettera al Negus sia incontrandosi coi Ras.

– E quindi lei teme che quando Ninetta si accorgerà della tresca del Principe con la futura matrigna passi a vie di fatto?

– Precisamente.

– Spera, sa che le dico? Che ci stiamo fasciando la testa prima che ce la rompano.

– Non ho capito.

– Lei ha appena finito di dirmi che il Prestifilippo e la Butticè si sposeranno non appena saranno pronte le carte. Giusto? Quindi è presumibile che passino almeno due mesi. Perciò, prima che possa scoppiare la tragedia che paventiamo, il Principe avrà avuto modo di scrivere la lettera e di andare a Roma. Se dopo Ninetta gli spara o l'avvelena noi ce ne possiamo fottere allegramente. Ce lo leviamo finalmente dai coglioni a questa testa di cazzo di criminale negro. Perché mi fa cenno di no?

– Perché Michelina è stata cacciata di casa da sua madre ed è andata a vivere col Prestifilippo.

– Oddio! Questa non ci voleva! Che si può fare?

– Potremmo arrestare la Butticè. In modo che per un po' non stia sotto lo stesso tetto con il Principe.

– E che scusa trova per arrestarla?

– Ho bastevole fantasia, signor Questore.

– Va bene, l'arresti. No! Un momento! E se il Principe punta i piedi? Se si rifiuta di fare quello che gli chiedono di fare se prima la Butticè non viene rimessa in libertà? Troppo rischioso, ci andremmo di mezzo noi.

– Allora arrestiamo a Ninetta Prestifilippo. Eviteremmo la tragedia e il Principe non solo non protesterebbe, ma sarebbe contento di avere campo libero con Michelina.

– Non ci siamo, Spera.

– Perché?

– Perché il Principe protesterebbe lo stesso. Se non altro pro forma, dato che si tratta della fidanzata o quasi.

– E allora che facciamo?

– Raccogliamoci in preghiera. Supplichiamo il Bambinello di risparmiarci da quello che temiamo. Oppure incrociamo le dita e facciamo gli scongiuri. Auguri, caro Spera.

– Auguri a lei, signor Questore.

Miscellanea

CIRCOLO DEI NOBILI DI MONTELUSA
IL PRESIDENTE

Al Signor Questore di Montelusa

Montelusa, 27 dicembre 1929

Signor Questore,

ritengo mio dovere informarvi di quanto è accaduto nel pomeriggio di oggi 27 dicembre, durante la riunione per l'ammissione dei nuovi Soci. Già dal mese di novembre il Principe Grhane Sollassié Mbssa aveva presentato documentata domanda d'ammissione a questo Circolo e la Presidenza, esaminata accuratamente tutta la documentazione, controfirmata dall'Ambasciatore etiopico in Italia, non poteva fare altro che accettare la domanda riservandosi di sottoporla all'approvazione, o meno, dei signori Soci.

Oggi pomeriggio, appena aperta la discussione, don Gesualdo Trincanato, Principe di Sommatino e Vicepresidente del Circolo, ha voluto fare una dichiarazione iniziale consistente nell'annunzio delle sue immediate dimissioni dal Circolo stesso qualora la richiesta del Principe Sollassié fosse stata accolta.

Richiesto di spiegare il perché di così ferma presa di posizione, il Principe, visibilmente alterato, abbandonava la riunione. Allora don Luigi Ernestino, Marchese della Specola, ci raccontava, essendone stato testimone, l'incidente occorso il 23 dicembre scorso nella Sala Scherma di Corso Roma, gestita dal Commendator Farinella, tra il Principe Sollassié e don Gesualdo Trincanato. Il Principe Sollassié stava seduto nello spogliatoio intento ad allacciarsi le scarpe quando entrava don Gesualdo Trincanato che, non conoscendolo, urbanamente gli si avvicinava e, facendogli un inchino, gli diceva:

«Sono il Principe di Sommatino».

Al che il Principe Sollassié rispondeva, continuando ad allacciarsi le scarpe, che lui era il Principe Grhane Sollassié Mbssa.

Visibilmente irritato, don Gesualdo replicava:

«Al mio paese si usa alzarsi quando entra il Principe di Sommatino».

E l'altro:

«Al mio paese, invece, a me si usa parlare stando in ginocchio. La prego quindi di mettersi in quella posizione. Io sono il discendente diretto di Re Salomone».

L'intervento del Marchese della Specola evitava che l'incidente andasse oltre.

Purtroppo la votazione ha dato esito positivo alla domanda d'ammissione del Principe Sollassié. Venutone a conoscenza, il Principe di Sommatino si è dimesso malgrado i nostri tentativi di dissuaderlo e ha abbandonato il Circolo manifestando il proposito di mandare i padrini al Principe Sollassié.

Conoscendolo bene, sono certo che don Gesualdo Trincanato farà quanto ha minacciato.

Sarebbe bene evitare lo scandalo che potrebbe nascere da un duello, oltretutto assolutamente vietato dalla Civiltà della Rivoluzione voluta dal Duce.

Saluti fascisti

IL PRESIDENTE
Don Filippo Maria Giallombardo
Duca del Montarozzo

SIGORE COLONELLO DEI REALI CARRABINERI PIRCHÌ DO-
MANI A MATINO ALLI 7 NON MANTA UNA BATTUGLIA A
VIDIRI QUELO CHE SUCEDE NELA VILLA DEL BARONI AT-
TANASIO CHE TROVASI IN CONTRATA PASSERO TERRITO-
RIO DI MONTELUSA?
CAPACE CHE AVRETE UNA BELA SORPRISA

UN AMICO

Comando provinciale dei Reali Carabinieri
Montelusa

Al Comandante Generale
dei Reali Carabinieri-Roma

FONOGRAMMA URGENTE
RISERVATO PERSONALE

Montelusa, 29 dicembre 1929 – ore 9

Questa mattina alle ore sette una nostra pattuglia sorprendeva, nel cortile della villa di campagna del barone don Lucio Fulco Attanasio, sita in contrada Passero, Montelusa, un duello in corso. All'arrivo della pattuglia, tutti i presenti si davano alla fuga fatta eccezione dei duellanti che continuavano a battersi a sciabola. Fermati e tradotti presso questo Comando, sono stati identificati. Si tratta del Principe Grhane Sollassié Mbssa, di nazionalità etiopica, nipote del Negus Ailé Sellassié, e del Principe di Sommatino, don Gesualdo Trincanato. Il Principe Sollassié presentava una ferita alle dita della mano destra, procurata non dal Principe di Sommatino, ma dallo stesso Principe Sollassié che, distratto dall'intervento della pattuglia, impugnava la propria sciabola dalla parte della lama. Alla mia proposta di stringersi la mano in segno di pace, il Principe di Sommatino fermamente si rifiutava. Contro di loro non ho ancora mosso nessuna accusa, attendendo istruzioni da voi. Per vostra conoscenza, faccio presente che la notizia di quanto è avvenuto non ha nessuna possibilità di diventare di dominio pubblico.

IL COLONNELLO COMANDANTE
Giancarlo Dusmet

Comando generale dei Reali Carabinieri

Al Colonnello Giancarlo Dusmet
Comando Provinciale RR. CC.
Montelusa

FONOGRAMMA URGENTE
RISERVATO PERSONALE

Roma, 29 dicembre 1929 – ore 10

Premesso che sarete ritenuto personalmente responsabile nel caso dovesse trapelare la notizia del duello, vi ordino di rimettere immediatamente in libertà il Principe di Sommatino e il Principe Sollassié ingiungendo loro di non fare parola con nessuno dell'accaduto pena arresto immediato.

per il COMANDANTE GENERALE
(Col. Pericle Baranotti)

SERVIZIO DI STATO
TELEGRAMMA

da: MICHELE FORTIS
DIREZIONE GENERALE PUBBLICA SICUREZZA ROMA
a: FELICE MATARAZZO
PREFETTO DI MONTELUSA
data: 29 dicembre 1929
ore: 12.10

A far data da oggi vogliate provvedere immediato invio al confino di gesualdo trincanato principe di sommatino stop ripeto immediato invio stop nelle more della istruzione pratica intanto il trincanato venga messo appena riceverete il presente telegramma in stato di arresto domiciliare stop gli è proibito comunicare con chiunque nemmeno con i familiari stop michele fortis direzione generale della pubblica sicurezza roma

REGIO COMMISSARIATO DI P. S. DI VIGÀTA

Numero protocollo:
Oggetto:

Al Commendator Filiberto Mannarino
Questore di
Montelusa

Vigàta, 30 dicembre 1929

Signor Questore,
lei mi accusa di grave negligenza, di avere cioè trascurato del tutto la segnalazione da lei fattami di tenere sotto stretto controllo il Principe Grhane Sollassié onde impedirgli un eventuale duello col Principe di Sommatino e di avere giustificato il mio operato con la mancanza di personale a disposizione. Inoltre lei mi rimprovera che la mia negligenza abbia fatto segnare un punto a favore dell'Arma dei Carabinieri la quale, secondo quanto lei afferma, si sareb-

be nell'occasione dimostrata assai più pronta e brillante di noi.

Come si evince dal racconto orale del Brigadiere dei RR. CC. Pompucci che fece irruzione nel cortile della villa arrestando solo i duellanti, la pattuglia si trovava a passare da lì per caso. Sono in condizione di smentire nettamente l'affermazione del Brigadiere Pompucci.

La pattuglia non si trovava lì per caso, ma era stata espressamente inviata dal Comandante Provinciale dell'Arma, Colonnello Giancarlo Dusmet, il quale aveva ricevuto una lettera anonima che l'invitava a mandare una pattuglia in contrada Passero nella villa di don Lucio Fulco Attanasio.

Se lei mi chiede come faccia a sapere di questa lettera anonima e a conoscerne il contenuto, le rispondo con molta franchezza e in assoluta confidenza che l'ha scritta e mandata il sottoscritto, Commissario di P. S. Giacomo Spera.

Sono pronto ad accettare senza discutere tutti i provvedimenti che lei vorrà prendere nei miei riguardi per questa mia gravissima scorrettezza, ma io, mi creda, non ne posso più di questo Principe Grhane e delle grane che quotidianamente ci procura.

Oltretutto questo Commissariato veramente non dispone di uomini bastevoli a seguirlo nel suo ciclonico percorso che lascia dietro di sé rovine e danni.

Avrei potuto e dovuto seguirlo io di persona, ma pensai che non era proprio il caso.

Quando ebbi la notizia del possibile duello, mi

venne la tentazione di non muovere un dito per impedirlo.

Le dirò di più. Conoscendo la fama di temibile spadaccino di don Gesualdo Trincanato, sperai per un attimo che egli potesse eliminare la fonte di tutti i nostri attuali problemi. Inoltre pensai che, nel caso il Principe fosse sfuggito alla nostra sorveglianza per andare a battersi, quale che sarebbe stato l'esito del duello, non ne avremmo avuto altro che guai seri. Allora decisi di fare due cose: inviare a lei una nota di servizio dove dichiaravo l'impossibilità di eseguire l'ordine ricevuto, cosa che la scaricava da ogni responsabilità, e di mandare una lettera anonima ai RR. CC.

Ho passato la palla, come si dice volgarmente.

Devo ammettere che il Colonnello Dusmet, intuendo che la patata era bollente, non l'ha nemmeno toccata e ha fatto in modo che nessuno venisse a conoscenza della cosa.

Questo è quanto.

Torno a ripetere, resto a sua completa disposizione.

Le voglio infine segnalare l'assoluta incongruità di un particolare raccontato dal Brigadiere Pompucci e cioè che il Principe Grhane, all'arrivo della pattuglia, avesse lasciato cadere a terra, per la sorpresa, la sciabola che impugnava e che, nel raccoglierla, l'avesse afferrata per la lama ferendosi alle dita della mano destra.

Questo non può capitare a nessuno, nemmeno a chi non ha mai avuto dimestichezza con spade e sciabole. È un fatto istintivo non prendere una lama per la lama e se succede di farlo, sicuramente la lama non viene stretta fino al punto di procurare una ferita.

Io sono convinto che il Principe, che ha una rapidità di riflessi degna di un animale selvaggio, abbia colto al volo l'occasione di procurarsi una ferita che può apparire plausibile e sotto gli occhi di tutti.

Ora, con la destra fasciata, non è in grado di scrivere la lettera al Negus suo zio.

Sono curioso di vedere come saprà sfruttare questo contrattempo. Intanto i vigatesi se la stanno scialando: Gaetano Prestifilippo che passeggia con la fidanzata Michelina Butticè seguito dal Principe Grhane che dà il braccio a Ninetta Prestifilippo è una scena comica che fa tanto ridere.

Mi auguro che a noi non ci faccia piangere.

Devoti saluti

IL COMMISSARIO DI P. S. DI VIGÀTA
(Giacomo Spera)

SERVIZIO DI STATO
TELEGRAMMA

da: ARNALDO CACCIALUPI
SEGRETARIO FEDERALE MONTELUSA
a: CORRADO PERCIAVALLE
MINISTERO DEGLI ESTERI ROMA
data: 31 dicembre 1929
ore: 12.28

Rispondo immediatamente al vostro telegramma pervenutomi in mattinata stop principe grhane trovasi con mano destra momentaneamente impedita a scrivere per una ferita alle dita riportata maneggiando coltello da cucina stop parere medico est che non potrà riprendere uso della mano prima di una settimana stop avendogli il sottoscritto fatto notare che sforzandosi avrebbe potuto scrivere egli mi ha risposto che sua scrittura sarebbe potuta apparire contraffatta stop principe propone di scrivere qui a vigàta la lettera non appena sarà in grado di farlo e quindi data l'imminenza dell'incontro coi ras di consegnarla a uno dei due perché la porti personalmente al negus al rientro in etiopia stop assicura che così facendo considerato lo stato delle poste nel suo paese la lettera arriverebbe certamente a destinazione stop attendo istruzioni stop saluti fascisti stop arnaldo caccialupi segretario federale montelusa

SERVIZIO DI STATO
TELEGRAMMA

da: CORRADO PERCIAVALLE
MINISTERO DEGLI ESTERI ROMA
a: ARNALDO CACCIALUPI
SEGRETARIO FEDERALE MONTELUSA
data: 31 dicembre 1929
ore: 14

Ho il dovere di riferirvi che proprio ieri sua eccellenza benito mussolini parlando con sua eccellenza il ministro degli esteri mostrossi assai irritato per il ritardo partenza lettera del principe allo zio stop stando così le cose est impossibile sottoporre al duce proposta principe di consegnare a mano la lettera ad uno dei ras stop la lettera va assolutamente spedita al massimo entro il 3 gennaio stop se per tale data la lettera non sarà partita il duce intende prendere severi provvedimenti contro tutti coloro che non hanno saputo portare a buon fine quanto da lui ordinato stop saluti fascisti stop corrado perciavalle ministero degli esteri roma

SERVIZIO DI STATO
TELEGRAMMA

da: ARNALDO CACCIALUPI
SEGRETARIO FEDERALE MONTELUSA
a: CORRADO PERCIAVALLE
MINISTERO DEGLI ESTERI ROMA
data: 31 dicembre 1929
ore: 19.20

Principe dichiarasi disposto a scrivere non prima di giorno 4 gennaio lettera ma fa presente che lo sforzo al quale dovrà sottoporsi onde la sua scrittura causa ferita non appaia contraffatta potrebbe avere gravi conseguenze future sull'uso della mano destra stop chiede pertanto risarcimento preventivo di lire 20.000 (ventimila) comprensivo anche scrittura lettera stop domanda inoltre ripristino sua richiesta di lire 30.000 (trentamila) per risarcimento dell'abbassamento della sua dignità in quanto sarebbe lui ad andare a roma et non i ras a venirlo a trovare.

Pretende che i due rispettivi pagamenti, ammontanti in totale a lire 50.000 (cinquantamila) avvengano anticipatamente in contanti prima ancora che metta mano a scrivere la lettera stop attendo vostra decisione stop saluti fascisti stop arnaldo caccialupi segretario federale montelusa

SERVIZIO DI STATO
TELEGRAMMA

da: CORRADO PERCIAVALLE
MINISTERO DEGLI ESTERI ROMA
a: ARNALDO CACCIALUPI
SEGRETARIO FEDERALE MONTELUSA
data: 31 dicembre 1929
ore: 21

Purché questa lunga storia finisca il più presto possibile siete autorizzato a pagare anticipatamente e in
contanti al principe la cifra di lire 50.000 (cinquantamila) stop accettiamo anche lo spostamento data purché non ne vengano richiesti altri che non sono più con-
cedibili in modo assoluto stop ricordovi concordate modalità spedizione lettera che riassumovi stop punto
primo appena il principe comincia scrittura lettera av-
vertite il questore telefonicamente et senza che il principe abbia modo di sentirvi stop punto secondo appena il principe avrà terminato la lettera e scritto l'indirizzo sulla busta dovrà egli stesso portarla all'ufficio po-

stale di vigàta scortato da un camerata di provata fede fascista che si assicuri che la lettera venga consegnata nelle mani dell'impiegato addetto stop il rispetto di questi due punti est fondamentale stop saluti fascisti stop corrado perciavalle ministero degli esteri roma

†

CURIA VESCOVILE DI MONTELUSA

A S. E. Felice Matarazzo
Prefetto di
Montelusa

Montelusa, 3 gennaio 1930

Eccellenza,

sentiamo essere dover nostro mettervi al corrente di una notizia testé pervenutaci che in qualche modo, se risaputa, potrebbe creare imbarazzo e disagio nei rapporti amicali che, come da più voci giunte al nostro paterno orecchio, le più Alte Autorità della Provincia mantengono nei riguardi del Principe etiope Grhane Sollassié Mbssa, oggetto di un grande disegno politico il quale, provenendo direttamente da S. E. Benito Mussolini, non può che a sua volta discendere da un più ampio disegno Divino, poiché riteniamo sia S. E. Benito Mussolini, in ogni suo atto o pensiero, direttamente ispirato dalla Divina Provvidenza.

Non ebbe infatti così a definirlo il Santo Padre?

Vi informiamo quindi che ai primi del mese di dicembre dell'anno appena trascorso, la giovane Antonietta Prestifilippo di Gaetano si rivolse al Parroco della Chiesa di San Gerlando in Vigàta, Don Saverio Lopane, per chiedergli quali le pratiche necessarie onde potersi sposare in Chiesa con il Principe Grhane Sollassié, col quale erasi fidanzata, professante religione copta.

Non essendo il Parroco in condizione di rispondere al quesito, si è rivolto a questa Curia onde riceverne i dovuti chiarimenti. Questa Curia è riuscita a mettersi in contatto telefonico, dopo molte traversie, con Don Drahin Khuba, Parroco della Chiesa Cattolica di Addis Abeba, chiedendogli se in precedenza avesse colà celebrato matrimoni misti copto-cattolici e, in caso affermativo, qual era lo svolgimento del Sacro Rito.

Orbene, dalla lettera di risposta di Don Khuba, appena giuntaci, con molto stupore abbiamo appreso che il Principe Grhane Sollassié Mbssa risulta a tutti gli effetti essersi sposato, appena raggiunta l'età di anni quindici, che lì sarebbe l'età minima maschile consentita per contrarre matrimonio, con la tredicenne figlia del potente Ras Makonnen, prima avversario del Negus e dopo, mercé questo matrimonio, diventato suo alleato.

Don Khuba ha tenuto a precisare che detto matrimonio non è stato un atto puramente formale, ma è stato regolarmente rato e altrettanto regolarmente consumato e infatti la figlia del Ras, in qualità di sposa, vive nel palazzo dei Sollassié con i genitori del Principe.

Don Khuba ci ha anche avvertito che un altro spo-salizio non può avere luogo in alcun modo dato che la religione copta, al pari della Nostra, non permette né all'uomo di avere più di una moglie né alla donna di avere più mariti e che il vincolo matrimoniale è anche indissolubile.

La prudenza ci ha suggerito di non mettere ancora a parte Don Saverio Lopane dell'incresciosa situazione venutasi a creare. Ma è chiaro che la risposta negativa prima o poi egli ad Antonietta Prestifilippo dovrà pur darla.

Questa Curia pertanto sarebbe ben disposta a concordare una comune linea di condotta con le Autorità della Provincia.

Che il Signore vi assista.

per S. E. il VESCOVO
il Segretario particolare
(Don Angelo Sorrentino)

REGIA PREFETTURA DI MONTELUSA
IL PREFETTO

Protocollo n. 98901/BV/B/B/649
Oggetto: *Matrimonio Ppe Grhane Sollassié*

A Don Angelo Sorrentino
Curia Vescovile
Montelusa

Montelusa, 4 gennaio 1930

Reverendo,

non appena ricevuta la lettera che così opportunamente avete divisato d'inviarci mi sono premurato di prendere contatto con il signor Questore Mannarino e con il camerata Caccialupi, Segretario Federale.

Abbiamo tenuto una breve riunione dalla quale è sortito un convincimento comune e cioè che sarebbe auspicabile che la Curia Vescovile, che tanta illuminata prudenza usa adoperare in ogni occasione, anche in questa sgradevole situazione si comportasse adeguatamente onde ottenere un risultato a tutti giovevole.

Ben lungi da noi tutti l'intento d'interferire, anche pur minimamente, nelle altissime responsabilità di cui la Curia è quotidianamente investita, ma ci chiediamo se non sarebbe il caso di domandare ulteriori informazioni in alto loco circa le modalità della celebrazione di un rito matrimoniale misto copto-cattolico.

Noi non mettiamo in dubbio che quanto scrittovi da Don Khuba in merito alle modalità sia esaustivo, ma il conforto da voi domandato ulteriormente alle Superiori Gerarchie, farebbe sì che, nelle inevitabili more della risposta da Roma alle vostre domande, il Principe Grhane Sollassié avrebbe intanto tutto il tempo di ottemperare a quanto gli viene richiesto di fare per il bene della nostra Patria e della Rivoluzione Fascista.

In altre parole, ogni giorno che si guadagna, prima di portare a conoscenza del Principe la risposta negativa circa i suoi propositi matrimoniali, è veramente assai prezioso.

Abbiamo avuto modo di ben conoscere come il carattere del Principe sia mutevole e facile a impuntature generate da ancorché minimi ostacoli che possano frapporsi ai suoi desideri.

Egli, com'è ormai a tutti noto, dovrà, nel corso di questo mese di gennaio, recarsi a Roma per accompagnare due Ras etiopici ad un incontro col Capo del Governo, S. E. Benito Mussolini.

Tale incontro avrà come oggetto una delicatissima vertenza politica e il Duce è convinto che esso incontro possa grandemente contribuire a risolverla a nostro favore.

Per tutti noi quindi l'ideale sarebbe che il Principe venisse a sapere l'impossibilità di contrarre un nuovo matrimonio solo dopo il suo rientro a Vigàta.

Devotamente

IL PREFETTO
(Felice Matarazzo)

CIRCOLO DEI NOBILI DI MONTELUSA
IL PRESIDENTE

Al Signor Questore di Montelusa

Montelusa, 5 gennaio 1930

Signor Questore,
la benevolenza, la cortesia, la generosità dei Nobili
Soci di questo Circolo mi hanno voluto onorare eleg-
gendomi novello Presidente al posto dello stimatissimo
Don Filippo Maria Giallombardo Duca del Montarozzo che ha voluto con grande magnanimità, e purtroppo irrevocabilmente, presentare le sue dimissioni in seguito al noto incidente tra il Principe Grhane Sollassié e Don Gesualdo Trincanato, Principe di Sommatino, sfociato in un duello fortunatamente conclusosi senza spargimento di sangue.

Quindi è in qualità di Presidente che mi pregio di
scriverle per segnalarle immantinenti un altro disagevole episodio accaduto al Circolo oggi pomeriggio tra
il Principe Grhane e il Marchese Idalberto Loria di San
Giustino.

Tra lo stupore dei presenti, devo sinceramente farne ammissione, il Principe oggi si presentava al Circolo indossando un tight con grandi alamari verdi e fregi d'oro, ma coi piedi nudi, senza nemmeno le calze. Le scarpe se le era levate in anticamera prima di accedere al salone. Inoltre, legata alla vita, teneva un'enorme scimitarra.

Avendogli io fatto osservare che nel Circolo è segno di buona creanza entrare disarmati da qualsivoglia arma, egli rispondeami che l'avrebbe fatto a patto di levarsi, in uno con la scimitarra, anche tutti gli abiti che aveva addosso restando completamente nudo in quanto era norma e uso nel suo Paese fare così e così restare per almeno due ore dopo che uno si libera della scimitarra di guerra.

Allora, a scanso di vederlo girare ignudo tra i saloni, desistevo dall'invito. Senonché, volendo sedersi a un tavolo da gioco, pretendeva la poltrona che aveva saputo essere nel Circolo religiosamente conservata, sulla quale si era seduto, in occasione di una breve visita a Vigàta, Sua Maestà Vittorio Emanuele III.

Alla mia domanda perché volesse proprio quella poltrona, Egli rispondeva che solo quella era degna dell'abito da grande cerimonia che indossava. All'offerta di cedergli il mio scanno presidenziale rifiutava seccamente. A questo punto interveniva nella discussione il Marchese Idalberto Loria di San Giustino, Gentiluomo di Corte, il quale faceagli notare, con molto garbo, che sulla poltrona nella quale erasi accomodato Sua Maestà non era consentito a nessun altro di sedervisi.

Al che il Principe Grhane testualmente replicava:

«Il mio culo non ha niente da invidiare a quello del vostro Re».

Perso il lume della ragione e ritenendo profondamente offesa da quelle irridenti e oltraggiose parole la specifica parte anatomica di Sua Maestà, il Marchese di San Giustino colpiva con uno schiaffo la faccia del Principe.

Il quale, agguantata la scimitarra, con urla belluine la faceva alta sulla sua testa roteare scagliandola infine con forza contro il Marchese il quale, con prontezza di riflessi, lestamente si chinava sicché la scimitarra andava a sbattere contro una preziosa specchiera del settecento frantumandola. Mentre il Marchese di San Giustino abbandonava il Circolo, cinque soci riuscivano, dopo una violenta colluttazione, a immobilizzare il Principe e a ricondurlo faticosamente alla ragione.

Ritengo mio dovere perciò renderle noto che ho indetto per dopodomani, 7 gennaio, una riunione straordinaria del Consiglio Direttivo mettendo al primo punto dell'Ordine del giorno la cancellazione da socio del Principe Grhane.

Le sue parole, lesive dell'altissima dignità regale della Persona di Sua Maestà da noi tanto amata e venerata, hanno profondamente offeso tutti indistintamente i Soci di questo Circolo.

Presumo che lo scontro tra il Principe Grhane e il

Marchese di San Giustino si concluderà inevitabil-
mente sul terreno.

Saluti fascisti

IL PRESIDENTE
Don Giulio Raimondo Figurino
Marchese della Pergola

REGIA PREFETTURA DI MONTELUSA
IL PREFETTO

Protocollo n. 98901/BV/B/B/657
Oggetto: *Chiusura Circolo*

A Don Giulio Raimondo Figurino
Presidente Circolo dei Nobili
Montelusa

Montelusa, 5 gennaio 1930

A far data da oggi 5 gennaio 1930, il Circolo dei Nobili di Montelusa resterà chiuso a tempo indeterminato
per ordine di questa Prefettura a causa di gravi infrazio-
ni segnalate da diversi soci e in via di accertamento.

IL PREFETTO
(Felice Matarazzo)

REGIA PREFETTURA DI MONTELUSA
IL PREFETTO

Protocollo n. 98901/BV/B/B/658
Oggetto: *Richiesta arresto*

Al Signor Questore di Montelusa

Montelusa, 5 gennaio 1930

Signor Questore!

Avendo testé emanato un provvedimento di invio al confino per il Marchese Idalberto Loria di San Giustino, vogliate immediatamente provvedere al suo arresto onde non possa sottrarsi con la fuga a detto provvedimento.

Saluti fascisti

IL PREFETTO
(Felice Matarazzo)

P. S. (da cancellare subito dopo la lettura)

Quando questa storia sarà finalmente finita, mi riprometto di strangolare con le mie mani il maledetto negro che non passa giorno che non provoca giganteschi casini. Spero che anche lei vorrà essere della partita. F. M.

SERVIZIO DI STATO
TELEGRAMMA

da: ARNALDO CACCIALUPI
SEGRETARIO FEDERALE MONTELUSA
a: CORRADO PERCIAVALLE
MINISTERO DEGLI ESTERI ROMA
data: 7 gennaio 1930
ore: 12

Comunicovi che questa mattina principe grhane sollassié habet finalmente scritto lettera sotto dettatura don bottino stop come da ordini ricevuti principe stesso scortato da camerata di provata fede fascista ha consegnato lettera nelle mani dello impiegato postale di vigàta camerata antonio milotto stop saluti fascisti stop arnaldo caccialupi segretario federale montelusa

REGIO COMMISSARIATO DI P. S. DI VIGÀTA

Numero protocollo: 897
Oggetto: *Lettera Principe*

Al Commendatore Filiberto Mannarino
Questore di
Montelusa

Vigàta, 7 gennaio 1930

Signor Questore,
non appena ho ricevuto da voi la comunicazione che il Principe Grhane Sollassié aveva cominciato a scrivere la lettera al Negus sotto dettatura di Don Bottino, ho immediatamente provveduto a inviare, in abito borghese, come da vostro ordine, presso il locale ufficio postale il brigadiere Emanuele Cannizzaro.

Il quale ha dovuto lungamente attendere nascosto in uno sgabuzzino, ma dopo che il Principe aveva dato all'impiegato Milotto la lettera per spedirla, e appena che aveva abbandonato l'edificio, uscito dal nascondiglio se l'è fatta consegnare per portarla in questo commissariato.

In possesso della lettera, ho immediatamente provveduto a farla pervenire con lo stesso brigadiere Cannizzaro a S. E. il Prefetto di Vigàta che a sua volta provvederà a farla giungere a Roma, al Ministero degli Esteri, perché sia aperta, controllata da un conoscitore della lingua etiopica, richiusa e infine nuovamente mandata a me affinché io la spedisca al Negus col timbro postale di Vigàta.

S. E. il Prefetto mi aveva domandato se era possibile che a portare la lettera a Roma fosse lo stesso brigadiere Cannizzaro, ma io purtroppo ho dovuto rispondere negativamente in quanto, essendo a corto di personale, non potevo privarmi per due o tre giorni di un sottoposto prezioso.

Con osservanza, saluti fascisti

IL COMMISSARIO DI P. S. DI VIGÀTA
(Giacomo Spera)

FOGLIO AGGIUNTO RISERVATO PERSONALE!!!

Signor Questore,
evidentemente il signor Principe, con la zuffa a bella posta provocata l'altro giorno al Circolo dei Nobili, cercava di farsi nuovamente sfidare a duello, un duello che gli procurasse una feritina che lo metteva ancora per qualche tempo in condizione di non scrivere la lettera. Essendogli andato a vuoto il piano per il tempestivo intervento del Prefetto, non ha avuto più scu-

se e si è dovuto sobbarcare a scriverla. Ma io sono fermamente convinto che si è inventato una qualche diavoleria. Sto ad aspettare, con una certa impazienza, il risultato della lettura che della lettera farà l'interprete, ma mi auguro di tutto cuore di sbagliarmi per non dovere più affrontare situazioni come quelle nelle quali ci ha cacciato il Principe. Se non ho mandato a Roma il mio brigadiere è stato per evitare che anche noi, come P. S., fossimo coinvolti in qualche tranello principesco che potrebbe attuarsi, non so però come, durante il trasporto della lettera a Roma.

Riceva i miei deferenti ossequi

Giacomo Spera

SERVIZIO DI STATO
TELEGRAMMA

da: CORRADO PERCIAVALLE
MINISTERO DEGLI ESTERI ROMA
a: ARNALDO CACCIALUPI
SEGRETARIO FEDERALE MONTELUSA
data: 8 gennaio 1930
ore: 12.15

Visita due ras at sua eccellenza capo del governo benito mussolini avverrà giorno 13 gennaio ore 10 del mattino in palazzo venezia stop ministero guerra habet messo at disposizione principe grhane sollassié idrovolante militare che ammarrerà porto vigàta giorno 12 gennaio ore 11 mattino circa stop data importanza missione principe detto idrovolante sarà personalmente pilotato eccellenza balbo quadrumviro della rivoluzione stop ammarrato ad ostia principe sarà portato roma macchina personale duce stop suo alloggio est presso albergo excelsior stop vogliate avvertire principe che ambasciata etiopica habet comunicato ieri che ras sejum est impossibilitato raggiungere roma pertanto sarà sostituito da ras makonnen stop saluti fascisti stop corrado perciavalle ministero esteri roma

SERVIZIO DI STATO
TELEGRAMMA

da: ARNALDO CACCIALUPI
SEGRETARIO FEDERALE MONTELUSA
a: CORRADO PERCIAVALLE
MINISTERO DEGLI ESTERI ROMA
data: 8 gennaio 1930
ore: 18.30

Appena ricevuta notizia sostituzione ras sejum con ras makonnen principe sollassié habet fermamente dichiarato non ripeto non disponibilità adducendo ragioni strettamente famigliari che stavolta non habet voluto rivelare stop attraverso mie accurate et frenetiche et laboriose indagini sono venuto at conoscenza delicata situazione che prego tenere riservatissima stop ras makonnen est suocero principe sollassié stop principe teme che ras sia venuto a conoscenza sua non certo lineare condotta sentimentale in vigàta et quindi habet paura sue eventuali reazioni stop questa est mia certezza non supposizione stop allora pur senza accennare essere at conoscenza vero motivo suo rifiuto permessomi motu proprio di elevare compenso totale previsto da 50.000 (cinquantamila) lire per scrittura lettera et prossimo viaggio at roma at totale 75.000 (settantacinquemila) lire stop dopo lunghe esitazioni principe habet accettato stop vuole immediato versamento differenza di lire 25.000 (venticinquemila) presso agenzia vigàta banco di sicilia stop tale versamento deve avvenire entro e non oltre le ore dodici di domani mattina stop pone condizione assoluta et irrevocabile circa trasporto in idrovolante stop egli dice che solo uccelli volano non uomini stop pertanto chiede due cabine treno letto palermo-roma di giorno 10 in quanto vuole farsi accompagnare dal suo amico prestifilippo et secolui visitare comodamente capitale nei giorni precedenti incontro stop saluti fascisti stop arnaldo caccialupi segretario federale montelusa

SERVIZIO DI STATO
TELEGRAMMA

da: CORRADO PERCIAVALLE
MINISTERO DEGLI ESTERI ROMA
a: ARNALDO CACCIALUPI
SEGRETARIO FEDERALE MONTELUSA
data: 8 gennaio 1930
ore: 21.10

Questo ministero approva pienamente vostro operato et pregavi anticipare somma 25.000 (venticinquemila) lire che questo ministero rimborseravvi stessa giornata domani con accredito su conto federazione provinciale fascista vigàta stop sua eccellenza benito mussolini da me personalmente informato si congratula con voi per vostra capacità risolvere problemi frapposti viaggio principe al quale duce attribuisce grande importanza stop nulla osta per viaggio treno principe et suo accompagnatore stop vogliate pertanto provvedere biglietti stop saluti fascisti stop lettera principe at negus sarà esaminata giorno dodici da interprete specializzato disponibile solo per quella data stop saluti fascisti stop corrado perciavalle ministero degli esteri roma

– Che c'è, Spera?

– Signor Questore, che notizie ha del Principe?

– Perché me lo chiede?

– Sento puzza di bruciato.

– Oddio, Spera! Quando lei sente puzza di bruciato vuol dire che c'è già un incendio grosso!

– Mi dica del Principe, per favore.

– Che ore sono? Le sette? Allora è già da un'ora sul
treno per Roma. È andato a Palermo con una macchina da noleggio. Credo che con lui c'era anche Prestifilippo.

– No, Prestifilippo è sicuro che non c'era.

– Allora è partito da solo?

– No, in compagnia.

– E di chi? Si vuole spiegare meglio?

– È una cosa che ho saputo solamente qualche ora
fa. Ieri dopopranzo Gaetano Prestifilippo è stato ricoverato all'ospedale di qua.

– Che gli è successo?

– Si è fratturato il bacino.

– E come?

– La sua convivente e futura moglie, Michelina Butticè, l'ha pregato di sostituire una lampadina che si era
fulminata in bagno. Prestifilippo ha pigliato una scala, l'ha appoggiata al muro, ci è salito, ma la scala è sci-
volata perché il pavimento era completamente cospar-
so di sapone dato che la Butticè voleva pulirlo a fondo. E lui non se ne è accorto perché non ci vede a un
centimetro di distanza manco con gli occhiali.

– Ma la Butticè non poteva avvertirlo?

– Se ne è scordata.

– E allora?

– E allora, visto e considerato che il Prestifilippo era
infortunato e che sua figlia Antonietta doveva restare
al suo capezzale per assisterlo, visto e considerato inoltre che restava un posto libero per fare un bel viaggio
a Roma spesato di tutto, è stato deciso che ad accompagnare il Principe fosse la sua futura suocera, Michelina Butticè.

– O Dio mio, è partito con la sua amante?!

– Non solo.

– Che significa non solo? Non mi tenga sulle spine,
perdio!

– Saputa questa storia, m'è venuto un dubbio.

– Quale?

– Mi sono precipitato all'Agenzia di Vigàta del Banco di Sicilia e ho saputo che il Principe, nella tarda mattinata, aveva ritirato tutti i soldi che c'erano a sua disposizione. Settantacinquemila lire, un patrimonio.

– O Dio santo! E che se ne fa di tutti questi soldi? Perché se li porta appresso in contanti?

– Signor Questore, mi permette di darle un consiglio? Telefoni a Roma. Bisogna che il Principe, appena scende dal treno, venga preso in custodia da qualcuno dei nostri e tenuto costantemente sotto controllo fino a quando non entra a Palazzo Venezia.

– Sì, lo faccio subito.

– E dato che c'è, che qualcuno s'incarichi di persuadere il Principe a non presentarsi a Mussolini come ha fatto al Circolo dei Nobili, tight con alamari verdi e fregi d'oro, piedi nudi e scimitarrone al fianco. Se oltretutto, a quanto pare, è in lite con Ras Makonnen, che sarebbe suo suocero, quello vero, capace che finisce ad ammazzatine.

MONTELUSA – UFFICIO PREFETTO
11/1/1930, ORE 16

– Matarazzo?

– Sì. Chi parla?

– Geraldini. Telefono da Roma.

– Oè, carissimo, come stai?

– Siamo nella merda, cazzo, e tu mi domandi come sto!

– Perché?

– Non è arrivato.

– Chi?

– O cazzo, Matarazzo! Chi doveva arrivare?

– Oddio, il Principe! Non è arrivato?

– No.

– E la sua accompagnatrice?

– Nemmeno lei. Avevamo provveduto, dietro telefonata del tuo Questore Mannarino, a mandare il Questore Ramboldi alla stazione. Quello, appena il treno che veniva da Palermo si è fermato, si è piazzato davanti alla vettura-letto. Sono scesi tutti i passeggeri meno il Principe e la donna. Allora ha domandato informazioni all'addetto alla vettura-letto e ha saputo che le cabine 22 e 24, adiacenti e comunicanti, che erano quelle riservate alla coppia, non erano mai state occupate.

– Che significa questo mai?

– Matarazzo, ti sei rincoglionito? Mai significa mai. Significa che i due, a Palermo, non hanno occupato le loro cabine. Chiaro? Allora la domanda è questa: sono mai partiti? Chi li ha accompagnati a Palermo, dove cazzo li ha lasciati? Che cazzo di fine hanno fatto? Cerca di darmi una risposta del cazzo entro un'ora al massimo.

– Signor Questore? Sono Spera.

– Ha scoperto qualcosa? Il Prefetto ha già telefonato due volte.

– Più svelto di così non potevo fare. Ho parlato col noleggiatore della macchina che mi ha detto che l'autista che ha accompagnato il Principe e la Butticè a Palermo si chiama Pistarò Totuccio. Siccome era il suo giorno libero, non mi è stato facile trovarlo. Poi l'ho rintracciato che pescava sulla punta del...

– Spera, per favore, venga al sodo! Qui stanno traballando ministri, prefetti e questori!

– Pistarò giura e spergiura di averli accompagnati alla stazione di Palermo. Anzi, essendosi fermato a parlare con un collega, ha visto il Principe che chiamava un facchino per i bagagli.

– Quindi sono partiti.

– Già. Ma per dove?

– In che senso scusi?

257

– Nel senso che dieci minuti dopo la partenza del treno per Roma, ne parte un altro per Catania.

– O Dio mio! Mi lasci libero il telefono che chiamo subito Catania.

– Matarazzo?

– Dimmi, Geraldini.

– Dì al Questore Mannarino di fermare le ricerche a Catania.

– Li avete rintracciati?

– Manco per il cazzo.

– E allora?

– Ramboldi ha interrogato il controllore del treno il quale ha sostenuto di non avere visto nessun negro. Però…

– Ma allora perché mi fai sospendere le ricerche a Catania?

– Mi fai finire di parlare, cazzo? Però questo controllore era salito a Napoli, dando il cambio al collega che si era fatta la tratta Palermo-Napoli. Allora Ramboldi ha telefonato alla polizia ferroviaria di Napoli e ha rintracciato l'altro controllore. E questi ha detto che in una vettura di terza classe c'erano un negro e una negra… Ma che a Napoli… Cazzo, ora che ci penso, ma da dove cazzo sbuca fuori 'sta cazzo di negra?

259

– Calma, Geraldini.

– Calma un cazzo! Tutta l'Abissinia ora si è spostata da queste parti per venire a rompere i coglioni a noi?

– La negra non è una negra, Geraldini. È una che ha la pelle molto scura, può essere scambiata per una negra, ma è siciliana e si chiama Michelina Butticè.

– Meno male. Dov'ero arrivato?

– A Napoli.

– Ecco, sì, sono scesi a Napoli. Ora io mi domando: perché sono scesi a Napoli, cazzo?

– Forse vogliono visitare la città. Si fermano una giornata a Napoli e poi proseguono per Roma.

– Sai che ti dico? Ora li faccio cercare in tutti gli alberghi di Napoli, 'sti due negri del cazzo!

MONTELUSA – UFFICIO QUESTORE
11/1/1930, ORE 18

– Spera? Sono Mannarino.

– Mi dica, signor Questore.

– Il Prefetto mi ha detto di sospendere le ricerche a Catania. I due hanno viaggiato in terza classe e certamente sono scesi a Napoli.

– Minchia! Mi scusi, signor Questore.

– Che ha pensato?

– Quelli hanno viaggiato in terza perché sicuramente sapevano che a Roma c'era qualcuno dei nostri che sarebbe andato a prelevarli alla stazione. Nessuno avrebbe potuto immaginare che sarebbero scesi da un'altra vettura.

– Ma perché?

– Per confondersi tra la folla e poi poter sparire definitivamente.

– Mi scusi, Spera, non capisco. Ma se avevano in mente di scendere a Napoli!

– È solo un'ipotesi, signor Questore, ma penso che l'idea di Napoli sia a loro venuta durante il viaggio. Si saranno detti che, se si nascondevano in Italia, prima o poi li avremmo scoperti.

– In Italia?! Quindi lei suppone che...

– Esattamente, signor Questore. Quei due di sicuro si sono imbarcati su qualche nave diretta in Francia o a Tunisi o ad Atene... Lo sa quante navi salpano da Napoli dirette all'estero? Anzi, sa che le dico? Con tutti i soldi che quello ha in tasca, può persino noleggiarsela, una nave!

da: CORRADO PERCIAVALLE
MINISTERO DEGLI ESTERI ROMA
a: ARNALDO CACCIALUPI
SEGRETARIO FEDERALE MONTELUSA
data: 12 gennaio 1930
ore: 11.30

Per vostra conoscenza comunicovi esatta traduzione della lettera inviata dal principe sollassié at negus stop aperte virgolette caro zio gli italiani volevano farmi scrivere una lettera perché io ti spiegassi quanto sono buoni e generosi ma io sono riuscito a ingannarli e ti dico invece che sono molto stupidi quanto un asino ma si credono furbi come la volpe e perciò tu con la tua intelligenza te li puoi giocare come vuoi tenendo duro sui confini con la somalia io sto bene e spero così anche la zia ti abbraccio forte tuo nipote grhane chiuse virgolette stop nulla altro da aggiungere stop corrado perciavalle ministero degli esteri roma

MINISTERO CULTURA POPOLARE
IL MINISTRO

Foglio d'ordini n° 14.172
Roma, 12 gennaio 1930

*A tutti i Direttori dei quotidiani nazionali,
regionali e locali*
Loro Sedi

Si fa espresso e tassativo divieto di menzionare sia
pure in cronaca ogni notizia riguardante sparizione
principe abissino Sollassié.

per il MINISTRO
Il Capo di Gabinetto
Gianluca Tosto

– Vi ho fatto chiamare, camerata Questore, perché ho scoperto l'autore di questa orrenda macchi-
nazione! Di questo viscido complotto comunista!
Di questo criminoso uso eversivo di un servizio pubblico quale quello postale! Tutti comunisti! Senza patria, senza Dio, senza famiglia, senza onore, senza
dignità!

– Non capisco, camerata Federale.

– Esigo l'arresto immediato del commissario di pubblica sicurezza Giacomo Spera, del brigadiere Emanuele Cannizzaro e dell'impiegato delle poste di Vigàta Stefano Milotto!

– Volete scherzare?

– Io non scherzo mai! I fascisti non scherzano, agi-
scono seriamente!

– Volete almeno dirmi perché li dovrei arrestare?

– Perché, agendo in combutta tra loro, e d'accordo
con quel negro fottuto, hanno fatto sì che la lettera scritta sotto dettatura da quel negro miserabile venisse so-

stituita, all'ufficio postale, da un'altra scritta in precedenza dallo stesso negro.

– Lasciatemi capire, camerata Federale. Secondo voi, il Milotto era già in possesso dell'altra lettera e avrebbe fatto la sostituzione mentre il brigadiere Cannizzaro lo teneva d'occhio?

– Esattamente! Sono complici! Ecco perché devono essere arrestati!

– Scusatemi, ma ammesso e non concesso che le cose siano andate così, che c'entra il commissario Spera?

– C'entra! Non è stato lui a mandare alla posta il brigadiere Cannizzaro? È chiaramente anche lui un complice di questa ignobile congiura! Ah, perdio! Come ha ragione il Duce quando dice quello che dice!

– Scusatemi, in questo momento la memoria non mi soccorre, ma che dice il Duce?

– Che bisogna vegliare sempre! Che non bisogna mai abbassare la guardia! Che i nemici della Rivoluzione Fascista pullulano e cospirano!

– Voi, camerata Federale, siete sicuro che la sostituzione della lettera sia avvenuta nell'ufficio postale?

– E dove altrimenti?

Movimento di Prefetti

(Roma) – S. E. il Ministro dell'Interno, sentito il parere di S. E. Benito Mussolini, Capo del Governo, ha disposto il movimento dei seguenti Prefetti: Comaschi Gianfilippo da Vicenza a Montelusa; Berardini Attilio dal Ministero a Vicenza; il Prefetto Geraldini Carlo, che al Ministero dell'Interno svolgeva compiti speciali, viene collocato a riposo.

A riposo viene anche collocato Matarazzo Felice che ultimamente era stato Prefetto di Montelusa.

PARTITO NAZIONALE FASCISTA
IL SEGRETARIO NAZIONALE

CREDERE, OBBEDIRE, COMBATTERE

Foglio d'ordini n° AZ/43241
Roma, 15 gennaio 1930

Al Camerata Arnaldo Caccialupi
Federazione Provinciale Fascista
Montelusa

Camerata!

Vi comunico che Sua Eccellenza Benito Mussolini, Capo del Governo e Condottiero Supremo della Rivoluzione, ha disposto l'immediato cambio della guardia alla Federazione Fascista di Montelusa.

Al vostro posto, quale Segretario Federale, subentrerà il Camerata Adelmo Sacripanti.

D'ordine del Duce, voi dovrete, entro una settimana a far data da oggi, raggiungere Afgoi (Somalia italiana) dove andrete a dirigere un'azienda produttrice di cocomeri appartenente alla Società Agricola Italo-Somala.

Saluto al Duce!

per il SEGRETARIO NAZIONALE
Adelchi Buttafuoco

Direttore Angelo Bianco   Palermo, 16 gennaio 1930

Tentato suicidio a Vigàta

(Vigàta) – Ieri verso le ore sedici una diciassettenne di Vigàta, Antonietta Prestifilippo, che qualche tempo fa era stata oggetto di un tentato omicidio da parte di uno spasimante respinto, ha tentato il suicidio gettandosi in mare dal braccio di ponente del porto di Vigàta. Un pescatore che si trovava a poca distanza, Gerlando Savatteri, si è prontamente lanciato in mare ed è riuscito a trarre in salvo, dopo molti sforzi a causa del mare agitato, la giovane.

Si ignorano i motivi dell'insano gesto. Ma è probabile che la causa sia da ricercarsi nello stato di profondo abbattimento della giovane che, orfana di madre, ha attualmente il padre ricoverato all'ospedale di Montelusa per una grave frattura al bacino. Nello stesso ospedale ora si trova ricoverata anche la giovane che, urtando contro uno scoglio, si è rotta il braccio sinistro (*G. V.*).

270

– Pare che ce la siamo cavata per un pelo, caro Spera. Il ciclone Sollassié ci ha solo sfiorati. Ma stava per travolgerci di brutto. Abbiamo rischiato addirittura d'andare a finire in carcere!

– Acqua passata, signor Questore. Si hanno notizie del Principe e della Butticè?

– Aveva ragione lei, caro Spera, ma solo in parte.

– Cioè?

– Ho saputo solo ieri che la Butticè, il 23 dicembre scorso, si era presentata qui da noi in questura.

– E che voleva?

– Il passaporto.

– E le è stato dato?

– Certo. Il 7 gennaio. Appena in tempo perché potesse servirsene. Quindi l'idea di scendere a Napoli per imbarcarsi non l'hanno avuta durante il viaggio in treno, come supponeva lei, ma l'avevano da assai prima. Hanno solo aspettato il momento buono per metterla in pratica. Si sono imbarcati a Napoli e sono sbarcati a Marsiglia.

– Noi pensavamo di poterlo pigliare per il culo e invece...

– ... è accaduto il contrario. Ma la sa una cosa? Sono sicuro che questa storia non finisce qui. Ci sarà sicuramente un seguito.

– Oddio, signor Questore! Non mi faccia spaventare! Avremo nuovamente il Principe tra i cabasisi?

– No, stia tranquillo, il Principe non lo vedremo più.

– E allora?

– Mussolini, mi dicono, non l'ha mandata giù. Pensi che all'ultimo momento ha persino disdetto l'incontro coi Ras. Temeva che, a vederli, gli saltavano i nervi. È furibondo d'essere stato gabbato da un negro. Sono certo che si vendicherà. Quanto ci scommette che quello, prima o poi, dichiara guerra all'Abissinia?

Nota

Questa storia, che come struttura narrativa si rifà a *La concessione del telefono*, mi è stata suggerita da alcune pagine dell'interessante libro *I Signori dello zolfo* (Caltanissetta 2001) di Michele Curcuruto.

In esse si accenna alla presenza in Caltanissetta, negli anni 1929-32, del Principe Brhané Sillassié, nipote del Negus Ailé Sellassié, come studente della Regia Scuola Mineraria presso la quale si diplomò perito minerario nel novembre del 1932. Subito dopo tornò in patria e, quando, qualche anno dopo, gli italiani conquistarono il suo paese, cadde in miseria (sembra che avesse dilapidato il suo patrimonio per un'avvenente signora francese), venne anche incarcerato in occasione dell'attentato a Graziani e fu discretamente aiutato da un suo compagno di studi alla Scuola Mineraria, Giovanni Curcuruto, che lavorava ad Addis Abeba presso l'Ispettorato Minerario dell'Impero.

Curcuruto cerco più volte di far assumere il povero Brhané come impiegato, ma il capo dell'Ispettorato, tale Usoni, rispondeva immancabilmente che l'assunzione non era possibile perché Brhané era negro.

Quando arrivarono gli inglesi e ci sloggiarono dall'Impero, il comportamento di Brhané nei nostri riguardi fu ammirevole, tra l'altro tentò di salvare dalla prigionia l'amico Curcuruto.

Durante gli anni nisseni, il Principe divenne una figura caratteristica. Alto, elegante, amava la bella vita e i denari che gli mandava il governo etiopico non gli bastavano mai, per cui faceva debiti a dritta e a manca. Di lui si innamorò perdutamente una bella ragazza di Caltanissetta, Annabella Bellavia, figlia del pastore valdese e noto poeta Calogero, nella cui casa per qualche tempo il Principe abitò.

Non c'è molto altro da dire su di lui.

Quindi le altre vicende che in questo libro sono raccontate, fatta eccezione di una, sono tutte da me inventate di sana pianta.

L'eccezione è questa: Mussolini andò effettivamente a visitare la miniera Trabia, è vero che un mazzo di fiori maldestramente, ma non intenzionalmente, lanciato lo colpì in faccia ed è altrettanto vero che, quella notte stessa, tre sconosciuti diedero fuoco al busto del Duce scolpito in un blocco di zolfo.

La visita si era svolta il 10 maggio 1924.

L'attento lettore troverà alcuni anacronismi (ad esempio, la scritta «Credere, Obbedire, Combattere» sui fogli da lettera del Partito Nazionale Fascista non c'era ancora negli anni 1929-30, è posteriore al 1931, fu un'invenzione del nuovo Segretario nazionale Achille Starace), ma non me li rimproveri, essi sono voluti.

Dunque, torno a ripetere: se i fatti più importanti,

quali il tentato coinvolgimento del Principe nelle intenzioni espansionistiche di Mussolini o le vicende delle sue tresche amorose o la sua beffa finale, sono del tutto inventati, rimane pur vero il clima di autentica stupidità generale, tra farsa e tragedia, che segnò purtroppo un'epoca.

A. C.

Indice

Il nipote del Negus

Questo volume è stato stampato
su carta Palatina
delle Cartiere Miliani di Fabriano
nel mese di marzo 2010
presso la Leva Arti Grafiche s.p.a. - Sesto S. Giovanni (MI)
e confezionato
presso IGF s.p.a. - Aldeno (TN)

La memoria